Viviendo *"En Modo Agradecido"*

La gratitud como pasaporte a la abundancia y el bienestar

Jeanette Salvatierra

Para Sonia con

cariño, esperando que

este libro contribuya a

tu bienestar.

Besos!

Jeanette

ISBN: 978-0-9977165-0-4

DEDICATORIA

A mis amores, mis compañeros en este *Camino*,
desde siempre y por siempre

Gratitud

INDICE

PREFACIO

Comenzar siempre agradeciendo. Por la vida, que es un recorrido lleno de oportunidades, algunas para disfrutar, otras para sufrir y todas para aprender.

Independientemente de sí se es creyente o no, cuando agradecemos estamos activando energía positiva que emana de nosotros mismos, desde nuestro interior, hacia nuestro entorno. Esta energía, que algunos llaman ***"vibra"***, simpatía o carisma, nos conecta con niveles superiores de bienestar, tanto en el plano físico como espiritual. La Divinidad, el universo o como quiera usted llamar a la entidad superior que impulsó nuestra creación, reactiva su poder benéfico a favor de todos y cada uno de aquellos que muestran gratitud ante el milagro de la vida.

¿Cómo lo sé? En primer lugar, porque lo he experimentado. En segundo lugar, porque mi afán de entender los procesos de la experiencia humana, me han llevado a investigar. Y lo maravilloso del estudio sobre la gratitud es que la investigación y documentación de sus beneficios la han hecho científicos, místicos e incluso personas comunes, como usted y yo.

Pero como cada uno de nosotros es un ser único, expresión de una totalidad que nos une como seres humanos, me atreví a escribir sobre mi propia experiencia acerca de la gratitud.

Mi experiencia es una mezcla de vivencias personales, de familiares cercanos y amigos, y de personas que he conocido a través de mi labor como Coach de Vida.

A simple vista, todos somos iguales. Y al mismo tiempo, nuestras vidas son expresión de una unicidad especial. Esa singularidad se origina en nuestras elecciones. Ante determinadas circunstancias en la vida, cada uno de nosotros elige qué actitud tomar ante la circunstancia, qué opción explorar o aplicar para resolver el problema que enfrentamos, con qué personas nos vamos a conectar para que nos apoyen, ayuden o simplemente, nos acompañen.

Es con base en esas elecciones que nuestras vidas se diferencian. Y cuando la elección que hacemos es agradecer por la circunstancia, cualquiera que esta sea, recargamos nuestras *baterías* de energía positiva, para llevar a cabo las acciones que nos permitan superar la situación de la mejor manera.

Una analogía para presentar mi historia

La vista aporta el 80% de nuestra experiencia sensorial. Es decir, percibimos la vida y el mundo que nos rodea principalmente a través de los ojos. La vista es tan primordial que se considera en los humanos, un propulsor e intensificador del instinto sexual, base de la reproducción y perpetuación de la especie. Es por ello que, tanto hembras como varones, invierten tiempo en acicalarse, chequear su imagen en el espejo, en su afán de atraer a potenciales parejas sexuales.

Por tanto el interesado en iniciar el cortejo, desde el sistema educativo hasta el entretenimiento, todos focalizan sus mensajes hacia la vista. Somos seres principalmente visuales, porque utilizamos más nuestros ojos para construir nuestras percepciones. Pero según los científicos, si se hace un paralelismo entre los sentidos y el teclado de un piano, la vista solo representa la octava central, 8 de las 85 teclas o diferentes estímulos que podemos percibir los seres humanos. Percepción que incluye, por supuesto, los sentidos del oído, olfato, gusto y tacto, además del sexto sentido, o intuición.

La percepción se compone tanto por el aporte individual de cada sentido, como por las correlaciones de los estímulos de un sentido con los de los otros sentidos.

En mis investigaciones no encontré los porcentajes de aporte a la percepción de los demás sentidos físicos. Parece que no existen medidas concretas, pues la percepción es un proceso cualitativo e inconsciente. Pero lo interesante es que, hoy en día se reconoce más abiertamente el aporte de la intuición a la percepción. Aunque pueda sonar fantástico o demasiado *new age.* En este libro nos apoyaremos en el concepto de intuición, para profundizar en la gratitud.

Cuando en 2003 dejé de conducir mi auto porque la pérdida de visión hacía de mí una amenaza para mí y los demás, yo no sabía sobre la relación de la vista y la octava central del piano. Simplemente me sentí limitada, desgraciada, castigada por algún pecado olvidado o con la peor suerte del mundo.

Doce años después, y a pesar de que ya he aceptado mi falta de vista hace rato, encontrar la información sobre la riqueza potencial de percepciones proveniente de los sentidos que usamos menos, solo refuerza mi comprensión de que todo ocurre por una razón mayor que la obvia.

Gracias a mi condición visual, he enriquecido mi experiencia humana, abriéndome a sensaciones y actividades que antes delegaba en otros, o simplemente ignoraba.

Por ejemplo, pude cuidar de mi madre, perseguir mi sueño de escribir, dedicar tiempo de calidad a mi familia y amigos, conectarme con mi intuición y, en general, crecer como ser humano en servicio a otros.

Así que, ¿qué mejor asunto que el agradecimiento para mi primer libro? Por lo menos, el primero que se publica, porque tengo otros en el tintero desde hace tiempo.

Mi oferta para usted

A través de estas páginas le ofrezco mi experiencia y mi humilde entendimiento sobre lo que la gratitud puede traer a su vida.

Pongo a su disposición mi esfuerzo para hacer de este contenido algo sencillo, fácil de poner en práctica y flexible para ser incorporado en su vida cotidiana. Porque no sé si queda claro: la gratitud debe ser una práctica diaria.

Le ofrezco mi más sincero deseo de que este libro logre inspirarlo, para que activando la gratitud, pueda alcanzar un mayor grado de abundancia y bienestar. Esa activación es lo que llamo vivir *En Modo Agradecido.*

Gracias por darme la oportunidad de compartir y crecer juntos.

Jeanette Salvatierra-Barrios
Cooper City, Florida, 2015

RECONOCIMIENTOS

A *José y Andrés Barrios,* por su amoroso apoyo y servir de inspiración para muchas de mis ideas.

A *mi familia extendida:* los de mi sangre y los de mi corazón. Vaya hasta todos ustedes, presentes físicamente o no, mi reconocimiento y agradecimiento.

A *los amigos,* cuyas historias personales me sirvieron de base para los relatos que ejemplifican muchas de las ideas de este libro. Aún cuando los nombres, situaciones y demás datos personales fueron cambiados, la esencia de sus vivencias está presente en estas narraciones.

A mi maestra *Milagros Socorro,* quien me llevó de la mano cuando decidí tomarme en serio el arte de la escritura.

A mi querida *Mariale Zabaleta,* quien con amor y talento creó la ilustración de la portada interna.

A *Howard Goldberg* por obsequiarnos con la maravillosa fotografía de la portada.

A *Jorge Luis Prado, Adriana Salvatierra, Loly Ferreiro, Carmen Cristina Wolf, Milagros Socorro y al equipo de Creative Space* en español, por apoyarme con los detalles técnicos de edición y producción de este libro.

INTRODUCCIÓN

Con el tiempo he aprendido que vivir en una perpetua actitud de agradecimiento es posible. Y sanador. Porque una actitud agradecida permite superar los retos, ganar amigos, ser más productivo y hasta dormir mejor.

Para muchos, la gratitud suele ser una expresión esporádica, que probablemente aparecía en ocasiones especiales, como los cumpleaños o al recibir un obsequio o reconocimiento.

Pero mi propuesta es convertirla en un acompañante, en un recurso fortalecedor de su personalidad y una herramienta para alcanzar el éxito en la vida. Cualquiera que sea su definición personal de éxito.

Este acompañamiento, esta actitud de agradecimiento es lo que defino como vivir *En Modo Agradecido.* Para que usted pueda experimentar los beneficios de este *modo*, vamos a apoyarle para que se reencuentre con la gratitud habitualmente.

Desarrollando el hábito del agradecimiento

Para desarrollar cualquier hábito e incorporarlo en nuestra cotidianidad, debemos seguir algunos pasos concretos, que han sido verificados como efectivos por cientos de estudios psicológicos y reforzados por la evidencia de programas para comer sano, meditar, estudiar efectivamente y decenas de otros ejemplos.

En este libro vamos a seguir esa receta.

La formación de hábitos puede resumirse en un proceso de tres pasos. Este libro presenta los elementos necesarios en cada paso de dicho proceso.

En la Primera Parte, expondré los beneficios del agradecimiento, los diferentes elementos que se involucran así como casos o ejemplos que ilustran estos puntos.

En la Segunda Parte vamos a proveer un acompañamiento para que usted pueda desarrollar el hábito del agradecimiento. Lo haremos a través de un cuaderno o diario, con páginas para cubrir 3 ciclos de 21 días. Para cada día se provee espacio suficiente para registrar la fecha y hora del ejercicio, así como los *regalos del día.* Y se ofrece una frase o cita original, con la finalidad de motivar la inspiración o la reflexión.

Antes del inicio de la Segunda Parte proveeré más detalles sobre la justificación e intención del cuaderno.

En la tercera parte presentaremos información que le permitirá evaluar y profundizar en los beneficios que la gratitud le provee, tras la ejecución de la rutina cotidiana.

Me atrevo a predecir que esta nueva rutina cambiará su modo de pensar y de ver la vida.

Dispongámonos a iniciar un recorrido maravilloso al encuentro de la abundancia de dones y bienes, para el cual la gratitud es el salvoconducto o pasaporte ideal.

PRIMERA PARTE: *Gratitud y bienestar*

Capítulo 1. Una expresión de amor

La gratitud es un mecanismo para que las personas puedan apreciar lo que tienen, en lugar de pensar constantemente que necesitan de algo nuevo o en mayor cantidad para ser felices. Y para evitar la idea de que no se sentirán bien hasta que no consigan satisfacer todas las necesidades materiales o físicas.

Al principio, la gratitud luce como una capacidad dormida o limitada para algunas personas. La buena noticia es que la gratitud puede crecer y fortalecerse con la práctica.

Cultivar el agradecimiento abre nuestra atención hacia lo positivo: los hechos y seres que nos producen amor, alegría, paz y todos esos sentimientos agradables que queremos multiplicar en nuestras vidas.

Además, si la expresamos, es decir, escribimos o decimos a otros, la gratitud genera una *atmósfera* de bienestar que nos pone en armonía con el entorno.

Esa armonía entre lo interior y lo exterior constituye una expresión de amor. Primeramente hacia nuestra vida, hacia nosotros mismos y nuestro bienestar. En segundo lugar, es un acto de amor hacia los demás. Porque en la medida en que nosotros estemos bien, podremos aportar positivamente al bienestar de quienes nos rodean. Y al interactuar, las conexiones positivas se retroalimentan y potencian. Como todo acto de amor, estamos en una situación honesta de ganar-ganar, originada por el simple hecho de agradecer.

Por otra parte, la atención que ponemos para agradecer, nos da perspectiva sobre lo realmente profundo y sobre lo mundano.

Las cosas sencillas que damos por adquiridas para siempre o que no notamos por su cotidianidad al momento de agradecer. Por ejemplo, el aire que respiras, el amor de tus padres, el apoyo y complicidad de un amigo de años, el sueño apacible de tu hijo, tu fiel mascota, las coloridas flores del parque, la montaña que decora el horizonte. Pero además, el pago que recibes por tu trabajo, la mamografía que salió normal, el auto que no ha requerido reparación en los últimos dos años, la sonrisa del presentador o presentadora del noticiero que te parece tan agradable.

Cosas simples, cosas realmente importantes que no podemos omitir al agradecer.

- Lo recurrente.
- Lo novedoso.
- Lo inconfesable (por ahora) hasta que se haga realidad.

Si no lo ha hecho hasta ahora, tómese una pausa para:

- Mentalmente enumerar las razones para agradecer que usted tiene, en cada una de las categorías anteriores.
- Dese cuenta de los sentimientos que se producen en usted, con tan solo pensar en esas cosas o personas.
- Trate de diferenciar claramente, cuál es la sensación específica en cada caso: alegría, amor, admiración, aceptación.

Notando los cambios positivos tras agradecer, comenzamos a conectarnos con la energía propulsora de acciones capaces de acercarnos a nuestras metas o, simplemente, a un estado superior de bienestar físico. Más adelante explicaremos la conexión entre el agradecimiento y la salud física.

Otra perspectiva a considerar es el rol de la gratitud como clave para descubrir nuestro propósito en la vida. Al poner atención a lo que nos sucede, a las relaciones personales, nuestras experiencias con la naturaleza y nuestros pensamientos, podemos reconocer lo que nos apasiona.

Veamos cómo, mediante un ejemplo. Piense por un momento en su actual actividad productiva (trabajo remunerado o no). Si se es un profesional, empleado o trabajador por su cuenta o si se es un creador o una ama de casa: esa es su actividad productiva principal.

- Ahora identifique otra actividad que usted practica actualmente o que le gustaría practicar en un futuro. Puede ser algo completamente diferente o una variación de su ocupación actual (por ejemplo: una especialización, una empresa o lugar de trabajo diferente).
- Imagine que ejecuta el nuevo trabajo o actividad. Puede imaginar las actividades de un día cualquiera, el logro de una meta relacionada con su labor, verse interactuando con otras personas en el nuevo ambiente. Agradezca por estar realizando esta nueva tarea, posición o carrera.
- Identifique la intensidad del agradecimiento que la práctica de cada actividad o variación, le producen.
- Compare las intensidades.

Lo que nos apasiona, lo que realmente es *nuestro llamado* o misión, se percibe más fuertemente. Agradecemos con mayor fuerza o vehemencia el regalo que más nos gusta o apasiona.

Una aparente contradicción

Y, ¿qué hacer con las experiencias negativas? En la vida no todo es color de rosa. Y en muchos casos parecen abundar los hechos o personas que nos causan temor, angustia, vergüenza o decepción. Para estos sinsabores, el agradecimiento puede ser un agradable *condimento.* O una herramienta de sanación.

Agradecer incluso aquello que en principio nos parece negativo. Sobre todo, si no está en nuestro poder cambiarlo, nos libera de culpas, permitiéndonos aprender lecciones de vida con menos dolor.

La vida ofrece aspectos gratos, momentos alegres, pero también tiene cosas negativas o que nos causan incomodidad. Esto es una realidad. Pensamos que esas incomodidades son problemas, dificultades que no deberían existir. Pero son hitos en el camino. Circunstancias, personas u objetos que aparecen y que, simplemente, debemos sortear.

Al enfrentar un problema o sinsabor, el primer pensamiento suele ser: ¿por qué a mí?. No obstante, si nos colocamos en una actitud positiva, originada en el agradecimiento, el primer pensamiento se transforma en: ¿Qué significa esto para mí?. Buscar el significado nos lleva a explorar posibilidades, comenzando por un análisis que nos abre vías de superación del malestar inicial hacia estados de aceptación e incluso de resolución, si es una posibilidad.

El punto es pasar de la parálisis a la acción. Pues es la acción la que puede propulsar el tránsito hacia el logro, la solución o la aceptación de una condición que no está en nuestro poder resolver. E incluso en este último caso, podemos identificar escenarios donde aún sin resolver la situación inicial, podemos perseguir otras metas y lograr bienestar mediante nuevas personas o situaciones.

Un ejemplo de transformación y gratitud

Cuando Danielle fue diagnosticada con metástasis en estómago, del cáncer de mama que, supuestamente, había sido erradicado tras la remoción total de ambos senos tres años antes, esta mujer de 32 años decidió actuar de nuevo.

Retomó la actitud de agradecimiento que experimentó al sobrevivir a la mastectomía inicial para enfocar su energía positiva en métodos de vida saludable que facilitaran su nuevo reto de salud. Se comprometió con revisiones médicas periódicas, con una alimentación especial y con la misión de motivar a otros enfermos de cáncer a vivir con esa condición.

Comenzó un blog, donde compartía lo que vivía y escuchaba de otros pacientes, daba charlas a grupos de familiares y amigos. Y todos los días agradecía por la vida que le permitía compartir información que ayudaba a personas como ella.

Su labor comenzó a ganar notoriedad a través de las entrevistas que daba a medios de comunicación en su ciudad. Hoy, más de 10 años después, su condición sigue controlada, continúa su labor de motivación y es una reconocida autora y conferencista en países de habla inglesa.

Y todo ello, en opinión de la propia Danielle, se debe al agradecimiento y a la transformación que este obró en su percepción de una condición, para muchos, totalmente adversa y hasta mortal, en una nueva oportunidad de logros y bienestar para ella y quienes la conocen.

La clave es poder identificar la oportunidad. A pesar de lo negativo de la situación, siempre tenemos una oportunidad de tomar acción. Detenerse a evaluar, a sentir para luego pensar. Y posteriormente, decidir actuar, de forma que podamos aprovechar esa situación inicialmente negativa para nuestro beneficio. Y por tanto, poder agradecer por esta escogencia.

Algunas posibles reflexiones

A lo largo de este libro encontrará historias que ejemplifican los conceptos que se están tratando. Le invitamos a que, tras conocer cada una, se tome una pausa para reflexionar sobre cómo esa historia refleja una situación actual en su vida o en la vida de personas en su entorno. Pregúntese, ¿cómo reaccionaría en este caso? ¿Qué opciones tengo en mi situación? ¿Qué ideas, acciones o sentimientos puedo replicar en mi circunstancia particular?

En algunas historias voy a incluir preguntas específicas. Otras historias las dejaré a su libre análisis e interpretación.

Lo importante es tomarse una pausa para permitir la reflexión que la historia induce en usted.

Expresando agradecimiento

La comunicación humana se compone de palabras y acciones, desde una perspectiva muy simplificada. Así que para expresar agradecimiento podemos echar mano de frases, gestos, en formatos verbales, escritos, en imágenes, dibujos, creaciones en diversos materiales, hechos por nosotros mismos o por otros, pero que ofrecemos a quien queremos agradecer.

Todo esto se origina en una idea, una intención que nace en nuestro ser. En la mente para los muy racionales. O en el corazón, para los más sentimentales.

Pero sin afanarnos en ubicar el origen, la intención de agradecer si no se expresa, si no se comparte, queda incompleta. Es como quien quiso subirse a un tren, pero cuando el vagón se detuvo no lo abordó. O el nadador que al llegar al borde de la piscina recordó que debía hacer otra cosa y no se lanzó al agua.

La intención sin acción no genera resultados.

En este capítulo hemos tratado de incentivar una intención de agradecimiento en usted. De manera directa, a través de las preguntas de coaching que se listan e indirectamente a través de las historias específicas que expusimos.

De esa idea, pensamiento o intención, vamos a pasar a la acción progresivamente. En la Segunda Parte de este libro le ofrecemos un mecanismo sencillo para comenzar a expresar agradecimiento, convertirlo en una práctica diaria, hasta volverlo un hábito. Una acción recurrente y casi automática.

La repetición es la clave de la formación del hábito y el reforzamiento de la conducta a través de logros o recompensas. En el caso de la gratitud, sus beneficios o recompensas las irá descubriendo por sí mismo, al sentirse más alegre, optimista y energizado. Además, la búsqueda de significados ante situaciones adversas aumentará su creatividad y auto confianza en sus decisiones, en la medida en que cada nueva posibilidad lo conduzca a un mayor bienestar.

En esta era digital cabría preguntarse: ¿Por qué llevar un diario escrito a mano? La respuesta es simple. Porque nos regresa a nuestra infancia, al momento de la vida donde somos más creativos y aprendemos más fácilmente.

La escritura a mano en los adultos, reactiva conexiones entre las células cerebrales, que permanecían dormidas y que son la causa de la pérdida de memoria.

Adicionalmente, la actividad manual, sea escritura, dibujo o manualidad, fortalece conexiones neuromusculares, mejora la coordinación entre los ojos y las manos (lo cual incrementa la precisión de los movimientos) y reduce los niveles de estrés físico y mental.

En su segunda parte, este libro ofrece 63 páginas para ser completadas como diario, es decir, 3 ciclos de 21 días. Aunque muchos estudios afirman que con solo 21 días de repetición de una conducta los humanos formamos un hábito, yo quise proveer a mis lectores de tres oportunidades.

En realidad, cada persona puede necesitar menos o más de 21 días. Proveyendo 63 páginas de diario quise honrar esa posibilidad.

Si por alguna razón, en el futuro tras formarse el hábito de la gratitud diaria, desea retomar la práctica de la escritura a mano, si le gustó el formato del diario y desea reproducirlo o simplemente quiere leer las secciones o *Soplos de Inspiración*, la segunda parte de este libro facilita todas estas opciones. Ese es mi regalo para usted.

Posteriormente puede llevar su diario en la tableta, el teléfono móvil o el computador personal. O en algún nuevo medio disponible para el momento.

Exprese su agradecimiento por escrito, compártalo cuando considere apropiado. O simplemente, revisítelo.

El amor es para compartirlo. Si ese amor le inspira a agradecer, comparta ese sentimiento con los demás. Verá como habrá valido la pena.

Capítulo 2. La evidencia de su poder

Los beneficios que trae la gratitud a quienes la expresan, experimentan o entran en contacto con ella, son variados y han sido documentados científicamente.

Voy a organizar esta exposición comenzando por las evidencias científicas que avalan los beneficios internos o individuales de la gratitud. Progresaremos hacia el encuentro de las evidencias que soportan beneficios en ámbitos grupales, organizacionales y de comunidad.

Si bien no voy a enumerar explícitamente los estudios, investigadores y sus resultados, en la bibliografía de este libro encontrará los estudios específicos y publicaciones consultadas por mí, para sustentar mis comentarios.

Considero estos estudios y sus resultados sumamente valiosos, pues no solo utilizan el rigor del método científico para construir y validar las hipótesis, sino que también reconocen la validez de observaciones adicionales cuyo origen puede ser de naturaleza más espiritual, pero que innegablemente resultan en un incremento de los estados de felicidad, abundancia y bienestar de los sujetos estudiados.

Por otro lado, la diversidad de aspectos estudiados, en lo referente a su relación con el agradecimiento, nos muestran lo poderosa que puede ser la gratitud como herramienta para nuestro desarrollo personal.

Beneficios para la Personalidad

Comenzando por el principio. Por nosotros mismos, nuestro mundo interior, el cual se proyecta para mostrar nuestros valores, talentos, emociones e intenciones. La casa, el hogar de nuestro ser. Poniendo la casa en orden primero, como dirían nuestras abuelas, seremos capaces de aportar más al mundo y, por tanto, recibir mayor bienestar y abundancia del mundo que nos rodea.

Felicidad

La gratitud incrementa los niveles de felicidad de quienes la experimentan. En uno de los estudios fundamentales de la psicología positiva, sobre la felicidad y sus causas, se encontró que en todas las personas participantes, independientemente de su edad, género, nivel académico e incluso salud física, experimentar gratitud mejoraba su ánimo, su optimismo y energía.

En los casos de personas con enfermedades crónicas y discapacitantes, por ejemplo, la práctica diaria de *enumerar bendiciones* y expresar gratitud por ellas, sostenida por 21 días, mejoró sus niveles de energía. Sus estados de ánimo se tornaron más positivos, mejoraron en sus interacciones con otras personas y, en general, los grados de aceptación de su condición se fueron incrementando, lo que se tradujo en un mejoramiento de su actitud y felicidad.

A partir de mi experiencia personal, así como en mis observaciones y participación en grupos de apoyo a personas con discapacidad visual o enfermedades crónicas como diabetes y cáncer, puedo dar testimonio de los beneficios de la gratitud, tanto a nivel individual, como grupal. No solo mejora la actitud general ante la vida de quien la expresa, sino que también fortalece la empatía y cohesión de grupo.

En estudios con adolescentes y adultos jóvenes se observó mayor alegría, disminución de emociones negativas y violencia entre los participantes de los estudios que al menos tres veces a la semana se reunían para agradecer, si se les comparaba con jóvenes de grupos que no agradecían de forma regular.

Este resultado muestra que no se es demasiado joven para iniciar una práctica de agradecimiento y que mientras más temprano en la vida aprendamos a agradecer, experimentaremos felicidad más pronto y por más tiempo. El reto es para nosotros, padres y madres, que debemos enseñar a nuestros hijos la práctica de la gratitud.

Como muchas de las enseñanzas de los padres a los hijos, la gratitud se enseña con el ejemplo. Algunas ideas que les sugiero poner en práctica son las siguientes:

- **Agradecer por lo cotidiano:** por ejemplo, antes de la comida familiar, antes de salir de casa a un evento importante, como un partido o una representación teatral o de baile de sus hijos, al final del día, antes de dormir o antes o después de cualquier momento importante del día para su familia.
- **Tradiciones y rituales familiares:** expresar gratitud en fechas importantes para la familia, como por ejemplo, cumpleaños y aniversarios, no solo demuestran y fomentan la gratitud, sino que también contribuyen a fortalecer los vínculos familiares, generando recuerdos que definen la niñez y adolescencia y por tanto, los fundamentos de la personalidad adulta de nuestros hijos. La gratitud se puede expresar a través del intercambio de pequeños obsequios, la preparación de un platillo, encender velas, elevar globos o

cualquier otra actividad especial, explicando a los hijos que se realiza la acción para agradecer por la posibilidad de compartir la ocasión.

- **Vivencias y simulaciones:** podemos hacer un viaje en familia a un lugar cercano o a otro país, para compartir y servir en una comunidad menos favorecida económicamente. Experimentar sus condiciones de vida, compartir sus comidas y tareas, permitirá a los hijos valorar las comodidades que disfrutan en el hogar. Esta actividad es ideal para niños mayores o adolescentes. Una idea adicional es limitar el equipaje que se lleva al viaje para simular la carencia o limitación de bienes que existe en el destino visitado.
- **Organización de actividades de servicio:** puede ser recolectar juguetes en buen estado, alimentos, útiles escolares o para el hogar, dinero y donarlos a una institución que atienda personas en necesidad. Sus hijos pueden llevar los donativos y entregarlos personalmente a los beneficiarios. Esta actividad no solo enseña gratitud, sino también solidaridad y empatía.
- **Metáforas y símbolos:** utilizarlos para enseñar gratitud en situaciones adversas o retadoras. Por ejemplo, si el niño no aprueba un examen escolar, se puede utilizar un personaje favorito de cuentos o televisión, para que reviva el momento y declare el aprendizaje o lección obtenida tras el fracaso (debo poner atención en clase, debo repasar la lección o resolver más problemas para practicar). Invitar al niño a agradecer por lo que el personaje aprendió de esa situación. Utilizar símbolos para agradecer, por ejemplo, ofrecer entradas para el teatro a la abuela para agradecer haber cuidado a los niños o utilizar cierta prenda de vestir para agradecer por alguna ocasión, como una medalla por

la victoria del equipo de béisbol, o un cintillo o pulsera por la sanación de un ser querido.

Es importante recalcar y en especial cuando nos referimos a la educación de los niños, que no se trata de agradecer a través de una práctica religiosa específica, cuando no se es religioso.

Si usted acostumbra agradecer a Dios y quiere transmitir sus creencias a sus hijos, puede hacerlo a través de estas sugerencias. Pero si no es así, no hay problema. Se trata de expresar gratitud por poder disfrutar juntos y en armonía de un momento familiar relevante o de condiciones de vida favorables.

Para finalizar, quisiera mencionar el resultado de un estudio que refuerza la importancia de la gratitud en la infancia. Según este estudio, los niños que practican el agradecimiento, tienen una mejor actitud hacia sus familiares y sus labores escolares. Así que incorporar la gratitud entre sus prácticas hogareñas trae buenos resultados en el corto, mediano y largo plazo.

Autoestima

Muchas de las terapias para incrementar la autoestima, utilizan afirmaciones positivas para inducir la apreciación sobre las cualidades de la persona.

"Soy talentoso". "Otros me consideran atractiva, inteligente, amorosa, porque soy así". El siguiente paso: tras el reconocimiento de la cualidad o habilidad, se debe agradecer por tenerla.

Obviamente, no se trata de fomentar personalidades narcisistas o egos abultados. Se trata de expresar gratitud por características personales positivas y continuar demostrándolas en servicio de buenas relaciones de pareja o interpersonales en nuestro desempeño laboral o profesional, así como en nuestra participación ciudadana o comunitaria.

Por otro lado, la demostración de nuestros talentos nos da la oportunidad de compartirlos, transformándonos progresivamente en personas menos centradas en nosotros mismos, en otras palabras, menos egoístas.

Por tanto, la gratitud puede impulsarnos a proyectarnos hacia otras personas menos favorecidas o carentes de las cualidades o talentos que nosotros tenemos.

La gratitud genera un balance entre alta autoestima y egoísmo reducido. Particularmente considero este balance no solo más positivo sino también más realista.

Para experimentar el beneficio de la gratitud en su propia autoestima, le sugiero el siguiente ejercicio:

- Comience por ubicar un lugar tranquilo donde se sienta a gusto y pueda permanecer sin ser interrumpido por espacio de 15 o 20 minutos.
- Si desea registrar sus ideas con lápiz y papel o con la grabadora de voz de su teléfono celular, puede hacerlo. Esto le permitirá revisitar sus conclusiones cuando lo considere necesario.
- Haga 3 respiraciones profundas por la nariz. Relaje el cuerpo y centre su atención en su respiración.
- Note, sienta, piense para identificar aquellos talentos o atributos de su persona que le parecen positivos y por los que se siente agradecido. Estos atributos pueden ser físicos (por ejemplo, el color de sus ojos, la fortaleza de sus piernas); emocionales (por ejemplo, su compasión hacia otros, su jovialidad); o de su personalidad (tenacidad, paciencia, conocimiento, etc.).

- Complete mentalmente, por escrito o verbalmente la frase: "Doy gracias por el atributo positivo identificado".

Este ejercicio de identificación y reafirmación, a través de enunciar el atributo y agradecer, incrementa la autoestima. También puede facilitar la selección de un talento o atributo de servicio a otros, que retroalimenta el bienestar propio a través del bienestar creado en su entorno.

Optimismo

Cuando miramos al mundo a través del cristal de la gratitud, nuestra actitud es más abierta y, por tanto, nos es más fácil experimentar optimismo ante las circunstancias por venir.

Este es un hecho científicamente comprobado, tras el estudio de personas con enfermedades crónicas, quienes practicaban la escritura en un diario de gratitud. Al comparar sus respuestas sobre sus expectativas para la semana entrante, con personas en su misma condición de salud, pero que no practicaban la gratitud diaria, se observó sistemáticamente mayor optimismo entre los pacientes *agradecidos* versus los que no practicaban la gratitud.

Incluso su optimismo resultó contagioso y evidente para otras personas en su entorno. En ese mismo estudio, las esposas de los participantes reportaron un incremento en su optimismo con referencia a la aceptación de la condición de sus cónyuges.

Varios estudios han demostrado también que hay una correlación inversa entre depresión y gratitud. En otras palabras, mientras más gratitud se siente, menos deprimido se está.

Si el optimismo se considera una emoción opuesta a la depresión, parecería que podemos evitar esta última mediante la práctica de la gratitud.

Espiritualidad

La gratitud está directamente correlacionada con la espiritualidad. No es claro si es que se es más espiritual por expresar agradecimiento (tal como lo proponen muchas prácticas religiosas), o se es más agradecido por ser una persona espiritual, es decir, por sentir una conexión con una entidad o fuerza suprema.

Lo que sí es cierto es que la gratitud, al hacernos focalizar en cosas realmente importantes, nos lleva a asumir posturas más trascendentes, ocuparnos de elementos intangibles de la vida, como las emociones y nuestra personalidad, y poner atención a lo material en un término secundario.

Un hallazgo bastante interesante es el reportado en un estudio sobre el materialismo y la felicidad. La conclusión, probablemente obvia para alguno de nosotros, es que la posesión excesiva de bienes materiales y el consumismo no están asociados a la felicidad.

Para las personas de bajos recursos económicos, o pobres, la felicidad en más del 70% de los individuos estudiados está relacionada con la posesión de bienes materiales. Sin embargo, personas con una economía solvente, o ricos, no experimentan niveles elevados de felicidad. Incluso, a mayor riqueza material y consumismo, mayor infelicidad. Parece que las personas se vuelven insensibles a lo material a medida que la cantidad de estas posesiones se incrementa (efecto de adaptación hedónica), al punto de no apreciar lo que tienen.

No obstante, cuando las personas, independientemente de sus niveles de ingresos, se focalizan en lo no material y agradecen por ello, no solo reportan mayores niveles de satisfacción con sus vidas sino que refuerzan su confianza en su conexión divina. Es decir, se vuelven más espirituales.

Impacto sobre las Emociones

Nuestras emociones reflejan las respuestas de nuestra mente y cuerpo ante las circunstancias que vivimos. Si la gratitud está presente en nuestros pensamientos, muchas de esas emociones serán de naturaleza agradable. Y, mejor aún, dado que lo que sentimos repercute en nuestra salud y bienestar en general, resulta económicamente atractivo invertir en ser agradecidos. Obtenemos dos o más beneficios, por un simple *esfuerzo.*

Haga la prueba, tratando de identificar la emoción específica que experimenta al agradecer por algo. En todos los casos, las emociones se encuentran en el espectro de lo positivo: gozo, alegría, paz. Estos son solo algunos ejemplos. Seguramente usted encontrará muchos más.

Reducción del estrés

Al expresar gratitud y elevar nuestros niveles de felicidad, disminuimos la tensión ocasionada por perturbaciones externas y preocupaciones.

Por supuesto que queremos expresar genuino agradecimiento por razones reales. No se trata de auto engañarnos, negando la existencia de una situación o persona negativa. Se trata de ser honestos, reconocer lo bueno que está presente en nuestra vida, aunque sea algo muy básico, como aire para respirar y seguir adelante, o algo muy complejo, que requirió de mucho esfuerzo y dedicación para lograrse.

La gratitud que nos inspiran los genuinos aspectos positivos de nuestra vida, reduce y hasta puede eliminar el exceso de estrés causado por lo que no va tan bien como quisiéramos.

Y me refiero a exceso de estrés, porque siempre hay estrés. No puede ni debe eliminarse por completo, pues forma parte de nuestro instinto de alerta, aquel que nos impulsa a la acción rápida frente al peligro inminente.

La gratitud no es un sedante o anestésico. Es energía positiva y calmante. La energía del equilibrio.

El día en que mi hijo, para entonces de 8 años, me preguntó por qué siempre estaba triste y nerviosa por no poder ver bien, tuve que explicarle que varios doctores, en cuatro países diferentes, coincidían en que poco a poco iba a perder la vista, hasta quedar totalmente ciega. Ese diagnóstico, le expliqué, me ponía nerviosa y de mal humor, porque yo pensaba que no iba a poder seguir disfrutando de mi vida, mi familia y mi carrera. Mi niño me miró, y muy seriamente me preguntó: "Mamá, pero ¿eso significa que te vas a morir?". Inmediatamente le dije que no, a lo que él me respondió: "Entonces mami, no estés nerviosa. Hay que dar gracias porque vas a seguir viviendo".

No solo me maravilló su sencilla pero profunda sabiduría, sino que además entendí que realmente lo importante, y por lo que podía sentirme agradecida, era que lo iba a seguir disfrutando a él, con o sin mi visión.

Obviamente, me relajé. Y cada vez que me siento estresada por no poder hacer algo debido a mi limitación, recuerdo a mi hijo y agradezco por estar viva. Y me relajo.

Incremento de la adaptabilidad

La gratitud nos hace ser más flexibles. Nos permite adaptarnos mejor y más rápidamente a circunstancias cambiantes o desconocidas. Desde la oportunidad para experimentar nuevas vivencias hasta la confianza fundamentada en la creencia en una entidad superior a nosotros. La gratitud abre la mente al cambio, a la transformación, sin resistencia o dolor.

Un ejemplo que siempre utilizo para demostrar este punto es el que relato a continuación.

La familia F tenía todo para sentirse agradecidos y felices mientras vivían en su país de origen. Una pareja de más de 20 años, enamorada y que operaban en equipo, tres hijos sanos, trabajo, una vivienda propia, autos, viajes, educación. Pero cuando la situación económica y política de su país cambió para peor, se vieron forzados a emigrar.

El esposo consiguió un trabajo en una empresa en su área profesional, pero la esposa debió cerrar su negocio y dedicarse a ser ama de casa. Al mudarse al nuevo país, vivieron por dos años en una casa más pequeña y alquilada. Los hijos cambiaron el colegio privado de su país natal por escuelas públicas, que aunque de excelente calidad académica, estaban súper pobladas y, por ende, los grupos de compañeros eran más competitivos y un tanto agresivos.

No obstante, toda la familia expresaba frecuentemente lo agradecidos que se sentían por el cambio. Este representaba una nueva experiencia de vida, otra cultura e idioma, seguridad personal y económica.

La adaptación de todo el grupo a las nuevas circunstancias fue rápida y sin traumas, todo ello facilitado por la gratitud.

Adicionalmente, se ha encontrado que las personas agradecidas superan el proceso de duelo con menor trauma, son capaces de aceptar ayuda más fácilmente y así recuperarse ante cualquier obstáculo que el cambio les presente.

Reducción del sentimiento de envidia

Al llevar a un primer plano lo bueno que tenemos en nuestras vidas, la gratitud eleva nuestra autoestima y confianza, reduciendo en nosotros la tendencia a compararnos con otras personas, y sentir envidia de sus posesiones o cualidades.

Puede sonar un tanto inocente o demasiado altruista, pero la realidad es que la gratitud nos hace indagar tan profundamente en lo que valoramos y nos hace felices, que nos lleva a reconocer que no somos capaces de saber cuan feliz es otra persona, solo por lo que nos deja ver de su personalidad, vida y valores.

En otras palabras, la gratitud nos hace comprender que *no todo lo que brilla es oro*, y que, por tanto, sentir envidia de otros pudiera significar, simplemente, que estemos anhelando un espejismo.

Facilita la memoria de buenos momentos

Según los psicólogos, las personas solemos recordar las cosas de manera distorsionada, a menos que hagamos un esfuerzo consciente de grabarlas en la memoria tal como sucedieron. En particular, eventos negativos pueden ser almacenados en nuestra memoria como si hubiesen sido peores o más traumáticos.

Al practicar la gratitud en el momento presente fijamos en nuestra memoria los eventos de manera más detallada, así que la posterior evocación de eventos agradables y positivos será más fuerte y realista.

Por otro lado, la gratitud puede ser utilizada como mecanismo de superación del duelo. Así se aprovecha su efecto para fijar en nuestra memoria esa recuperación, en lugar del evento luctuoso original.

Una práctica que se ha vuelto popular es la celebración de la vida, en reemplazo del clásico funeral. En estas reuniones, que pueden o no contener elementos pertenecientes a la religión del difunto, los familiares y amigos recuerdan características personales, momentos; y comparten poemas, música e incluso comidas que fueron del agrado del fallecido.

Estos recordatorios o celebraciones de vida permiten a los sobrevivientes mostrar su gratitud por la vida y los aportes del ser querido difunto, facilitando el duelo natural.

Efectos de la Gratitud en la Salud

La gratitud ha sido ampliamente estudiada por médicos y psicólogos, como elemento a incorporar en terapias para el dolor, en casos de condiciones crónicas, enfermedades terminales y como mecanismo de prevención.

En los Estados Unidos, tanto las escuelas de Medicina de importantes universidades como Harvard, así como hospitales y centros de investigación, como Cleveland Clinic, no solo incorporan la gratitud en sus prácticas sino que también la fomentan entre el público general, a través de impresos, boletines electrónicos y blogs.

Si bien es cierto que, no se ha encontrado una relación directa entre expresar gratitud y la cura de enfermedades, si se ha podido observar, una mejora en el estado de ánimo y actitud de los pacientes con prácticas regulares de gratitud. La gratitud los hace más receptivos y optimistas ante su situación, facilitando su proceso de tratamiento.

Veamos en detalle algunos resultados, de las denominadas *intervenciones* de gratitud, incorporadas en protocolos de tratamiento y prevención.

Mejoras en el sueño

La práctica de escribir en un diario de gratitud antes de acostarnos, o repasar mentalmente los eventos del día que nos inspiran gratitud, facilita la relajación que permitirá lograr un sueño profundo y reparador.

El efecto del sueño en la salud mental y física ha sido verificado en innumerables estudios, e incluso, mediante la mera observación. El sueño facilita la regeneración celular. Es clave para mantener al cerebro funcionando con eficiencia y contribuye a mantener claridad y estabilidad mental.

En mi experiencia personal, listar mis motivos de gratitud al final del día, me ayuda a conciliar el sueño más rápidamente. Es lo que llamo "bajarle la velocidad al motor mental". Así se crea un estado de mayor tranquilidad que el que normalmente traemos todo el día. Pruébelo y verá que en pocos días ¡me agradecerá por esta recomendación!

Incremento del ejercicio físico

Las personas que practican la gratitud regularmente tienden a ejercitarse más frecuentemente que aquellos que no agradecen. Este hecho fue documentado en la primera década del siglo XXI por un estudio realizado en los Estados Unidos por investigadores de dos prestigiosas universidades.

Este estudio dividió a las personas en grupos que reportaban en un diario uno de tres tipos de circunstancias: aquellas por las cuales agradecían; por las que se preocupaban; y situaciones en general, sin discriminar su percepción positiva o negativa.

Participantes en el grupo de los *agradecidos* reportaron, que se ejercitaban en promedio 1,5 horas más que personas en el grupo de "los preocupados". Adicionalmente, los agradecidos reportaron menos quejas de salud que el resto de los participantes del estudio.

Longevidad

Si bien no existe un estudio específico que haya demostrado que las personas agradecidas viven más, si revisamos todos los beneficios emocionales, mentales y físicos de la gratitud, muy probablemente lleguemos a la conclusión de que una alta calidad de vida y bienestar, logrados a través de la práctica de la gratitud, permite alargar la vida.

Adicionalmente, extrapolando los beneficios de la gratitud desde las perspectivas ocupacionales y sociales, las personas agradecidas pueden acceder a condiciones económicas, de relaciones interpersonales positivas y de trascendencia, que les permitirán vivir más años con prosperidad y en excelentes condiciones socio-emocionales.

Vida Profesional y Gratitud

La gratitud ha demostrado ser una poderosa herramienta en el mejoramiento del ambiente de trabajo, como motivadora de conductas en los empleados y como aporte a una cultura organizacional positiva para trabajadores, empresas, clientes y la comunidad en general.

Veamos en detalle algunos de estos beneficios de la gratitud.

Motivación del personal

Expresada adecuadamente por supervisores y gerentes, la gratitud por las contribuciones de los colaboradores o empleados puede resultar un elemento motivador, tan potente como el dinero y otras bonificaciones.

Adicionalmente a su bajo *costo,* la gratitud puede ser más rápida y oportuna. No se requiere esperar a fin de mes o del año fiscal, para premiar con el agradecimiento la consecución de objetivos, incrementos de productividad o de satisfacción de clientes. Cualquiera que sea la razón, el supervisor inmediato puede agradecer en persona, con un sencillo email, o con otro medio a su alcance inmediato, tan pronto se entere del aporte de su empleado.

De mis años de vida corporativa recuerdo con especial agrado, como empleada y como gerente, la práctica usual de mi departamento de ventas de *tocar la campana.*

A la entrada de la oficina del Gerente de Ventas, se instalaba una campana de bronce, que solo sonaba cuando un contrato importante llegaba firmado. No importaba el monto: podía ser uno pequeño, de unos pocos cientos de dólares o uno millonario. La importancia la daba el tipo de cliente, la complejidad de la situación competitiva, el tipo de producto o innovación que representaba en el mercado, o la cantidad de recursos y tiempo involucrada en la consecución del contrato.

Al llegar a la oficina, el vendedor ubicaba a su gerente para informarle de la firma, y juntos se acercaban a tocar la campana. Inmediatamente, todo el personal del piso acudía a la oficina, escuchaba el relato de la noticia, así como la felicitación y agradecimiento del gerente hacia el equipo de ventas.

Esta sencilla ceremonia no solo motivaba al vendedor reconocido, sino que también fomentaba en el resto de los vendedores la iniciativa a cerrar sus contratos.

El efecto de la gratitud fue comprobado por investigadores que constataron que, en los Estados Unidos, alrededor de un 66% de los empleados reportaban baja motivación, como consecuencia de no recibir expresiones de gratitud de sus supervisores y empleadores.

Por tanto, la gratitud de la empresa, expresada por gerentes y supervisores, sí es valorada como motivadora, además de otros elementos tangibles, como bonificaciones y ascensos.

Trabajo en equipo

En toda organización, la complejidad de las tareas y el nivel de especialización de las personas exige la conformación de grupos de trabajo o equipos, cuyos miembros aportan capacidades que permiten completar las labores.

No solo el talento, conocimiento o experiencia técnica son suficientes para que el equipo sea exitoso. Las relaciones entre sus integrantes también forman parte importante de los factores que contribuyen al éxito.

Si las relaciones interpersonales en el equipo están caracterizadas por el agradecimiento mutuo, las personas trabajarán con mayor dedicación, más atentos a los detalles y a exceder las metas y expectativas. Esto representa no solo un impacto positivo en el ambiente laboral, sino también seguramente redundará en una mayor productividad.

El Índice de Salud Organizacional es una medición del nivel de satisfacción de los empleados de un determinado equipo de trabajo. En algunas empresas de servicios de consultoría se utiliza este índice para compensar a los líderes de equipos. Uno de las componentes del índice se relaciona con la capacidad del líder de reconocer o agradecer por las contribuciones de los miembros del equipo.

En las mediciones del índice de una conocida consultora internacional, correspondientes a los años 1999 a 2009, se encontró que los equipos donde se agradecía por las contribuciones de los miembros, el índice alcanzaba valores más altos que en los equipos donde no se reconocía sistemáticamente a sus miembros.

Desarrollo de conexiones profesionales

La gratitud puede ser un terreno fértil para cultivar y desarrollar redes de relaciones profesionales.

Por ejemplo, agradecer a quienes nos enseñan con su trayectoria el curso a seguir fortalece la relación entre un profesional y potenciales mentores. Igualmente, entre colegas la gratitud por la ayuda recibida, por el trabajo bien hecho que facilita el propio trabajo, permite desarrollar relaciones de respeto, confianza e incluso amistad, que pueden resultar beneficiosas en el futuro.

Si usted desea participar en un proceso de *mentoring* en su empresa o, incluso, desarrollar una relación de patrocinio de un líder de opinión en su campo profesional, comience identificando una persona de mayor experiencia que usted, cuyos logros se asemejen al ideal profesional que usted persiga. Aproveche interacciones rutinarias en su organización, como reuniones, entrenamientos o chats, para expresar a su potencial mentor su agradecimiento por su ejemplo y logros. Con el líder de opinión puede establecerse una relación *virtual,* suscribiéndose a su página web, blog o siguiéndolo en sus redes sociales. Asegúrese de comentar agradeciendo sus artículos, compartir sus tweets o posts y, mejor aún, escribir eventualmente emails expresándole su gratitud y ofreciéndole información de valor para el líder.

De esta manera, si decide solicitar que la persona le sirva de mentor o promotor, ya habrá desarrollado una relación o conexión basada en la gratitud.

La gratitud y nuestras relaciones humanas

Tal como lo han reportado diversos investigadores, la gratitud tiene "asombrosos" efectos benéficos en la salud física y psico-social.

Específicamente en las relaciones con la pareja, familiares y amigos cercanos, la gratitud puede fortalecer estas relaciones a través del tiempo, si se expresa regularmente.

La gratitud nos hace más agradables.

Los efectos positivos de la gratitud en nuestros estados de ánimo, en nuestra humildad y autoestima, nos convierten en personas que atraen a otros y con quienes se interactúa con mayor facilidad.

A nadie le gusta lidiar con alguien malhumorado, arrogante o envidioso. La gratitud progresivamente *disuelve* estas características negativas, tal como comentábamos en este mismo capítulo.

Mayor capital social

En dos estudios realizados entre 243 personas, los individuos practicantes regulares de la gratitud obtuvieron una aceptación social mayor en un 17,5% que quienes no expresaban agradecimiento.

En otras palabras, si somos agradecidos gustamos más a otras personas. Ese porcentaje superior de aceptación es lo que se conoce como capital social.

Así que cabe preguntarse, ¿cómo está su capital social? El resultado numérico no es lo relevante. Solo observe cómo su entorno inmediato de relaciones interpersonales, expresa su agrado por su forma de ser. El mecanismo para mejorar es sencillo: sea más agradecido con sus seres queridos, amigos y personas que frecuenta, como servidores públicos, enfermeras, dependientes de tiendas, etc.

Mejores y más duraderas relaciones de pareja

¿Le sorprende? La gratitud, expresar aprecio por las cualidades de su pareja, es fundamental para una relación estable y feliz.

Tras observar y tratar matrimonios por más de dos décadas, los investigadores lograron determinar que, a menos que una pareja mantenga una relación de 5 a 1 o superior, entre sus interacciones positivas e interacciones negativas, la unión está destinada a fracasar y terminar.

Es decir, que por cada queja, regaño, burla o expresión de rabia, se deben emitir como mínimo 5 expresiones positivas como halagos, sonrisas, chistes y expresiones de gratitud.

Así que si usted tiene pareja, sea casado o no, tome en cuenta estos hallazgos y evite entrar en la estadística de separaciones. Para ello, tiene a la gratitud como aliada.

A través de este capítulo, he presentado los resultados de los principales estudios sobre los beneficios de la gratitud, así como algunas historias reales, ejercicios de reflexión y reforzamiento de esos beneficios en su caso particular.

Espero haberlo convencido, pero sobre todo, motivado a practicar la gratitud de manera regular. El cambio que experimentará en su vida, estoy segura, será tan positivo, que tendrá razones adicionales para agradecer.

La gratitud le hace sentir mejor, ser mejor y proyectarse más positivamente hacia su entorno social.
Agradezcamos a la gratitud por su poder benéfico.

Capítulo 3. Gratitud y abundancia. Algunos ejemplos de la vida real.

La clásica pregunta, retórica por demás, sobre el huevo y la gallina, probablemente se pueda aplicar a la pareja de la abundancia y la gratitud.

¿Qué viene primero? ¿Agradecer por la abundancia? ¿Agradecer sin aparente disfrute de la abundancia? ¿Abundantemente agradecer para iniciar una actividad que nos traerá abundancia?

Lo interesante es que todos los escenarios anteriores son válidos. Pero el realmente poderoso se inicia en la gratitud desinteresada. Parece una contradicción, pero para lograr algo, hay que no hacer nada.

Bueno, no hay que hacer nada específico. Solo algo general y extremadamente potente. La primera acción a emprender es expresar gratitud por el resultado esperado.

Agradecer desde la confianza absoluta es un logro del enfoque que propongo. Un enfoque mezcla de lo racional: la psicología positiva y el coaching; y de lo espiritual. Aunque en realidad, debo confesar, en este caso el orden de los factores sí altera el producto.

Abordar la relación entre la gratitud y la abundancia, supone un enfoque primeramente espiritual y luego racional. Para manifestar cualquier idea en el mundo material, primero hay que desearlo y potenciar ese deseo con la confianza que nace en el espíritu.

Absolutamente todo lo que existe fue antes imaginado. Por eso resulta natural mostrar gratitud desde el principio. Tan solo por concebir la idea, formular la intención que, tras la acción, producirá el resultado. Sin importar la cantidad de esfuerzo, número de intentos y ajustes que se hagan a la idea original. La gratitud potencia el inicio del proceso creativo y, por tanto, su resultado se potencia también, en calidad y cantidad. Es decir, en abundancia.

Abundancia y prosperidad

La abundancia es el estado en el cual un bien o cosa se encuentra en grandes cantidades. Cantidades suficientes para satisfacer los deseos, las necesidades de uno o varios usuarios de ese bien o cosa.

Prosperidad se entiende como el disfrute de la abundancia. Este concepto además está relacionado, gracias a la publicidad y la mercadotecnia en general, con los aspectos materiales de la vida: dinero, lujos, autos, etc.

Sin embargo, tanto la abundancia como la prosperidad pueden ser aplicadas en sentidos mucho más amplios para referirse a los aspectos no materiales de la existencia humana. De esta manera, vamos a mejorar la totalidad, no una parcialidad, cuando decidimos mejorar nuestra abundancia.

Atraer abundancia y prosperidad se vuelven conceptos iguales. Y además, refiriéndose tanto al incremento de lo inmaterial, sutil y eterno, como a lo material, tangible y efímero como la vida misma, conseguir abundancia es un elemento que contribuye a nuestra felicidad y bienestar.

Desde esta perspectiva ampliada, entonces, todos somos abundantes. Si ponemos atención por un momento a las circunstancias esenciales de nuestra vida, siempre vamos a encontrar un elemento abundante.

Varios ejemplos en este sentido:

- La cantidad de células en nuestro cuerpo, diversas y especializadas para realizar las múltiples funciones que dan vida al cuerpo
- Nuestras experiencias de vida, que nos enseñan a apreciarnos entre nosotros y a nosotros mismos
- El cerebro, y su capacidad casi infinita para crear y aprender
- Los sentimientos, tanto los positivos como el amor y la alegría, como los negativos
- La respiración, que nos permite seguir viviendo.

Si miramos a nuestro alrededor, también vamos a conseguir múltiples ejemplos de abundancia:

- La luz y calor del sol
- El agua que cae en forma de lluvia o forma parte del aire que nos rodea
- La diversidad de productos de la tierra, así como los procesados que se pudieran encontrar en un mercado
- Las expresiones diferentes en los rostros de los transeúntes en la calle
- La alegría de los niños o de las mascotas que pasean.

La primera lista se compone de aspectos propios, internos a cada uno de nosotros. La segunda lista contiene ejemplos de abundancia de elementos externos. En ambos casos, las listas pueden ser aún más largas, dependiendo de cada uno de nosotros. Pero ciertamente, no se refieren a posesiones materiales.

La idea es invitarlo a reconocer la abundancia desde una perspectiva más amplia.

Tómese un momento para reflexionar y reconocer la abundancia en su vida actual. Tanto a nivel personal, interno e individual, como en su entorno, ambiente cotidiano y relaciones.

Puede ser que durante este ejercicio usted se vea confrontado con aspectos no muy positivos o que le causan inconformidad y frustración. Esos aspectos, si son abundantes, también forman parte de su lista. No se sorprenda. Por ahora, simplemente agréguelos. Si está haciendo su lista por escrito, ponga en una columna aparte los elementos abundantemente negativos. Y en otra columna los abundantemente positivos.

Lo bueno, lo malo y lo dudoso

A estas alturas del ejercicio, probablemente usted tenga en su cabeza o en papel, una tabla de 2 filas (aspectos internos, aspectos externos) y dos columnas (lo positivo o bueno, lo negativo o malo). Llamaremos a esta la "Tabla de Aspectos".

	lo bueno	lo malo
Aspectos internos		
Aspectos externos		

A medida que nota la abundancia en su vida, algunos aspectos pueden parecer de naturaleza dudosa, es decir, no sabemos si es bueno o malo a la primera.

Por ejemplo:

- Tener mucho cabello
- El dolor muscular tras el ejercicio
- El ruido de la práctica musical de su hijo o del vecino
- La cantidad de tráfico que encuentra por las mañanas al ir al trabajo.

Clasifique estos aspectos como a usted le parezcan en principio, pero márquelos con un asterisco o algún signo de atención. Luego volveremos a ellos.

El análisis de estos aspectos *dudoso*s permite ejercitar la creatividad y reducir el estrés inicial causados por la duda.

¿Agradecer por qué?

Agradecer por lo bueno, por lo positivo en nuestras vidas. No importa si es poco o mucho, constituye una tarea fácil y natural. Y si lo positivo es abundante, aún mejor.

Pero, ¿agradecer por lo negativo? Contrario a nuestra reacción inicial, la respuesta es afirmativa.

Cuando reconocemos en primer lugar, que lo negativo forma parte de nuestra existencia, el solo hecho de estar vivos y poderlo experimentar es razón suficiente para aceptarlo. Aceptarlo no significa abrazarlo, invitarlo a perpetuarse y vivir en la incomodidad, la tristeza o la escasez. Significa no resistirlo. No aumentar la incomodidad con el estrés del empujar contra la corriente, paralizarnos por la tristeza o sufrir masoquistamente.

Significa, simplemente, darse cuenta de que está ahí. Muchas veces no por nuestra acción directa o búsqueda consciente.

Ante la presencia de lo negativo solo cabe preguntarse:

1. ¿Para qué me puede servir esto, es decir, qué puedo aprender?
2. ¿Es posible tomar alguna acción para transformar lo negativo en positivo?
3. Si no puedo cambiarlo, ¿cómo convivo con esto negativo en mi vida?

Estas preguntas permiten posicionarnos en una perspectiva activa, protagónica y poderosa. Contestando estas preguntas podemos iniciar una transformación en nosotros, un cambio en nuestra percepción de las circunstancias negativas, que nos llevan a la solución. Es decir, nos acercan al bienestar.

Incluso al cambiar la perspectiva, podemos llegar a agradecer por eso que en principio considerábamos negativo. El poder aprender de lo negativo, definir y ejecutar un plan para volverlo positivo, constituyen razones importantes y suficientes para dar gracias.

Antes de continuar, por favor vuelva a su lista o tabla de aspectos abundantes y analice los aspectos marcados como negativos y dudosos, aplicando las tres preguntas de transformación.

Observando un hecho desde dos perspectivas

Esta historia la escuché de una de mis maestras de Coaching, en un evento que tuvimos tiempo atrás.

En el trayecto desde su casa al lugar del evento, mi maestra, a quien llamaré Julia, iba de copiloto de su colega Lucas, quien se había ofrecido a llevarla. En un momento el tráfico se hizo muy lento, amenazando que los amigos arribaran a tiempo a su destino.

Lucas comenzó a ponerse tenso, a quejarse del volumen de vehículos, de la torpeza de los conductores, del recalentamiento del motor del auto y, prácticamente, de cualquier cosa a su alrededor. Julia, como no iba conduciendo, aprovechó para mirar al cielo, disfrutando y agradeciendo por lo claro y despejado del firmamento, observó con curiosidad las expresiones de los otros conductores, apreciando los diversos modelos de automóviles, olvidando por completo que podía estar retrasada para su cita.

A los pocos minutos, Lucas y Julia notaron que la razón del intenso tráfico era el accidente que involucraba a varios vehículos que intentaban ingresar al estacionamiento del lugar adonde ellos se dirigían. Retomando la actitud de agradecimiento por el bloqueo, ambos respiraron aliviados.

Esta historia demuestra dos aplicaciones de la gratitud. ¿Logra identificarlas?

La gratitud contribuye a mantener un estado de calma y apreciación. Y ayuda a comprender y aceptar el desenlace de un aparente conflicto.

Otra historia para reflexionar

Derek tiene 29 años. El y su esposa, Pat, de 25 años de edad, acaban de tener su primer bebé, Peter. Los tres constituyen una joven y unida familia. Sin embargo, Derek no verá a su hijo mientras crece, pues tiene una condición congénita denominada Retinitis Pigmentosa, que progresivamente lo está dejando sin vista.

A pesar de ello, Derek se considera muy afortunado. Se graduó con honores en Ciencias de la Computación, tiene un trabajo retador y bien remunerado, como jefe de sistemas, en una organización que se dedica a la educación de niños y adultos con discapacidad visual. Frecuentemente participa en grupos de consultoría y evaluación de productos informáticos, dedicados a ciegos y personas de baja visión. Derek posee un agudo sentido del humor, puede comunicarse en varios idiomas y toca el bajo en una banda de rock, a la cual pertenece desde su adolescencia.

"Muchas personas se compadecen de mí, cuando me ven joven y ciego, acompañado por mi perro guía. Pero cuando me conocen mejor y descubren que soy como cualquier hombre de mi edad, la compasión muchas veces se transforman en admiración, y apoyo extra para mí. He logrado muchas de mis metas, gracias al apoyo que me prestan las personas. Y no creo que sea lástima. Me gusta pensar que los inspiro a ayudarme", comenta sonriente.

Y es que Derek es una persona agradecida, aun cuando padece una limitación física. Sus logros son variados, y abundantes.

Algunas preguntas para reflexionar.

1. ¿Será la actitud de Derek ante la vida la más adecuada?
2. ¿Considera que es una actitud válida en cualquier circunstancia, incluso si no se posee una condición de salud limitante?
3. ¿Tendría él las mismas oportunidades de ser ejemplo si su condición fuera otra?

No hay respuesta correcta o incorrecta. Pero como dicen: "es mejor inspirar a otros que compadecerse de las limitaciones que podamos tener".

Volviendo a la pregunta retórica

De lo discutido hasta el momento en este capítulo, podemos concluir que: el agradecimiento no hace distinción entre lo que nuestra racionalidad considera bueno o malo en principio. El agradecimiento por lo inicialmente negativo es posible, como resultado de transformar nuestra percepción, en cuanto consideramos lo negativo como oportunidad de aprender y recrear nuestras circunstancias.

Pero este agradecimiento es *posterior* al aspecto analizado. Lo interesante es agradecer antes de experimentar el hecho o aspecto.

Recogiendo lo que se siembra

A través de mi vida he podido constatar la importancia de la preparación antes de cualquier actividad. La preparación nos coloca en situación aventajada para lograr nuestros objetivos o metas.

Y no me refiero al clásico ejemplo del estudio de una carrera o de un discurso ante una audiencia importante.

También me refiero a la preparación para actividades sencillas y cotidianas. Por ejemplo, me preparo para ir al dentista o al médico escuchando mi música favorita, tomándome un té o haciendo cualquier cosa que me relaje y tranquilice. Si quiero conseguir un buen lugar donde mi conductor pueda estacionar el auto, le sugiero buscar las áreas menos congestionadas del estacionamiento, apreciando de antemano el hecho de que la larga caminata que puede representarme hasta mi destino es un buen y necesario ejercicio.

La preparación entonces, busca no solo un resultado positivo, sino que también pretende generar en nosotros una actitud positiva y relajada ante las circunstancias.

Veamos esto en detalle. En primer lugar, la preparación nos coloca en un estado de apertura, de aceptación y tranquilidad. A continuación, ese estado interno se refleja en nuestra actitud, que es al final lo que el resto de las personas, el mundo exterior a nosotros, experimenta y al cual responde.

Las respuestas exteriores son cónsonas con nuestra actitud. Es decir, respuestas externas también positivas, de la misma clase o frecuencia que las internas.

Por tanto, el resultado positivo está prácticamente garantizado cuando nos preparamos y asumimos una actitud positiva y ganadora de antemano. Así que, sin lugar a dudas, podemos agradecer el resultado aun sin experimentarlo, pues estamos preparándonos para alcanzarlo.

Adicionalmente, nuestro agradecimiento puede ser sumamente intenso, basado en la confianza del resultado esperado. Dado que la respuesta externa siempre es cónsona con nuestra actitud interna, la abundancia es un resultado de nuestro agradecimiento.

Ahora bien, no quiero decir con esto que estoy induciéndole a ser irracional, extremadamente optimista, o iluso. Simplemente le estoy invitando a ser positivo. A asumir una actitud abierta, relajada y que redundará en su bienestar general, como ya hemos discutido en capítulos anteriores.

Y además, no me crea a ciegas. Ponga estas herramientas en práctica. Experimente en su propia vida su valor y resultados. La experiencia, por sí sola, vale la pena.

Si sembramos positivismo a través de nuestra intención y preparación, los resultados o productos de esa siembra serán los que esperamos. Y serán abundantes.

Opciones liberadoras

En ocasiones, aún después de la mejor y más conscientemente positiva preparación, los resultados no son lo que esperamos. Las cosas pueden salir mal. Pero aún así, hay opciones y soluciones.

Mantener en primer lugar la actitud positiva y abierta, aun cuando el resultado es opuesto al buscado, nos da la opción de mantener nuestro bienestar. Por ejemplo, aplicando las tres preguntas transformadoras de la percepción. Muy probablemente aparezcan otras posibles soluciones o resultados al elaborar nuevos planes de acción.

Utilizar la actitud positiva como elemento de reinicio de un nuevo curso de acción nos asegura mayor creatividad en las ideas y el avance hacia nuestros objetivos y metas. Y, además, puede motivar el apoyo y colaboración de otras personas que puedan facilitar las acciones.

Hay que recordar que no estamos solos. A menos que se viva en una isla en el medio del océano, o en una cueva oculta en una remota montaña, otras personas pueden espontáneamente o no sumarse a nuestras acciones, contagiándose con nuestra energía positiva.

La opción de la siguiente acción tras el fracaso es nuestra: nos echamos a morir porque no logramos nuestro objetivo o tomamos la opción de liberarnos de culpas y negatividad; y continuamos buscando nuestros sueños, aplicando acciones novedosas, tras superar la tristeza del fracaso inicial.

Voy a detenerme un tanto aquí, para analizar el fracaso.

Cuando el resultado de nuestras acciones no es el esperado o cuando simplemente las circunstancias cambian de forma adversa a nuestro interés o bienestar, normalmente sentimos incomodidad, rechazo, pena o dolor.

Este choque o frustración iniciales son naturales y, como tales, hay que aceptarlos y vivenciarlos. Con esto me refiero a que no hay que evadir el sentirse mal, triste o adolorido por una situación de pérdida o fracaso. Toma un tiempo sentir esa: incomodidad: y prepararnos para avanzar hacia el próximo paso o etapa de nuestras vidas.

Lo que no podemos hacer es quedarnos estancados, permitiendo que el dolor se convierta en sufrimiento. Porque en este caso, no solo nuestra salud física y mental se deterioran y puede sobrevenir la depresión e incluso la muerte, sino que nos alejamos de las posibles soluciones, cambios para mejorar, así como de las personas importantes y positivas para nosotros.

Una vez escuché que el fracaso no es más que una llamada de atención para retomar nuestro verdadero camino, que nos hace Dios, el universo o el destino (como quiera llamar usted a la energía creadora, superior a nosotros). He sido testigo de muchos casos de fracasos que sirvieron para alcanzar el éxito. No solamente definido como logro visible, sino también como encuentro con el verdadero llamado, pasión o propósito de vida.

¿Fracaso, o encuentro del verdadero camino?

Luis quería estudiar Medicina, pero a pesar de sus excelentes calificaciones de secundaria, no logró ser admitido en la Facultad de Medicina de la Universidad Central de su país. Así que tomó la segunda opción de su aplicación, ingresando en la Escuela de Ingeniería Química, con la idea de una posterior transferencia hacia Medicina.

Pero el cálculo matemático y la geometría descriptiva, materias del básico de Ingeniería, no eran su fuerte. Al final del segundo semestre, su índice académico era tan bajo, que hacían muy cuesta arriba su permanencia en la universidad.

Luis se deprimió, perdió peso e interés en el deporte y el dibujo, actividades que había practicado desde niño y que disfrutaba muchísimo.

Regresó en el verano a casa de sus padres, y anunció su decisión de abandonar la universidad. Sentía que había fracasado y su pesar era tan grande, que no conseguía identificar cómo seguir adelante.

Una tarde, conversando con un amigo que asistía a una universidad privada en la capital, se enteró de que dicha universidad había abierto, hacía apenas dos años antes, una escuela de Odontología. Y dado que era privada, los mecanismos de admisión eran particulares y no se verían afectados por la situación académica que Luis tenía en la universidad pública.

Luis se informó sobre los requisitos y costos, pidió ayuda a sus padres y en septiembre inició sus estudios de Odontología.

Esta historia ocurrió hace ya veintidós años. Luis no solo se graduó de Odontología, sino que descubrió su pasión por la Odonto Pediatría. Tiene en su haber dos patentes de instrumental odontoquirúrgico, ha publicado dos libros, uno de ellos sobre el cuidado dental para niños, ilustrado con caricaturas que él mismo dibujó, y tiene una práctica combinada entre su lucrativa consulta privada y la atención a niños de bajos recursos, en un hospital de la Iglesia Adventista.

Algunas preguntas para reflexionar.

1. ¿Qué circunstancias similares de aparente fracaso ha experimentado usted en su vida?
2. ¿Cómo reaccionó en ese momento? ¿Qué personas, ideas o

acciones alternativas tomó?

3. ¿Qué haría de manera diferente hoy en día, utilizando la gratitud como elemento de análisis o acción? Ayuda: aplique las tres preguntas de transformación.
4. ¿Qué nuevo enfoque puede darle a una situación similar, que actualmente esté viviendo?

Al intentar un curso de acción y no arribar a la meta, simplemente tomamos otro curso de acción. Mientras esto sucedía, experimentamos diversas emociones, pusimos en práctica ideas y conocimientos, compartimos y colaboramos con otras personas. Y podemos continuar, agradecidos por la experiencia, y energizados por la confianza de que finalmente, lograremos nuestros objetivos y sueños.

Poniéndonos *En Modo Agradecido*

La práctica diaria de la gratitud, en la forma que mejor se adapte a nuestras actividades, nos emplaza en una actitud mental y física que fomenta bienestar. Adicionalmente, la confianza en el poder de nuestra intención, de nuestras ideas expresadas como metas y planes de acción, nos coloca en vía al logro de abundantes resultados.

Este modo de vivir, de experimentar las situaciones de nuestra cotidianidad, es lo que llamo vivir *En Modo Agradecido.*

Una gratitud basada en la certeza de que el futuro será abundante en bendiciones.

De niña me fascinaban las historias sobre el futuro, la vida en el espacio y la exploración intergaláctica. Cuando la nave espacial, especialmente la que llevaba a los buenos de la película, se preparaba para iniciar su viaje, la cuenta regresiva antecedía el momento en que un botón rojo desprendería la nave de su plataforma de lanzamiento para iniciar un viaje fabuloso, lleno de aventuras y aprendizajes.

Una vez iniciado el viaje, todo cambiaba. Nada era igual que al comienzo. No había regreso posible al mismo planeta o a la misma galaxia.

Vivir *En Modo Agradecido* es como apretar ese botón. La gratitud es el requisito para iniciar un viaje emocionante y pleno de logros. Mantener el *Modo Agradecido* nos asegura solo cambios positivos. Indetenibles. Maravillosos. Como decimos coloquialmente, cambios para mejor.

Capítulo 4. Un hábito personal, o personalizando un hábito.

De manera totalmente intuitiva, comencé a incorporar la gratitud en mi rutina diaria hace unos años

Al principio simplemente decía "Gracias a Dios", al referirme a un logro o sentimiento importante. "Me siento bien, gracias a Dios"; "Ya logramos la meta de ventas, gracias a Dios". Una forma muy común en Latinoamérica, donde solemos ser apegados a las tradiciones, a repetir, casi sin darnos cuenta, lo que dice un familiar o una persona que admiramos.

Más recientemente, y gracias al proceso de cambio personal originado por mi pérdida de visión, comencé a contactarme con información que recomendaba la práctica de la gratitud como una herramienta para mejorar los estados mentales y emocionales.

Así que comencé a escribir mis bendiciones, de manera periódica, más no diaria. Empecé a incorporar en mi rutina previa a dormir el agradecer por un día más de luz en mis ojos, entre otros elementos en mi salud. Porque genuinamente sentía que poder ver un nuevo día era un gran regalo, sobre todo cuando los médicos me pronosticaban una ceguera total desde hacía años.

Pero mi encuentro frontal con la gratitud ocurrió en 2011, cuando me instalé definitivamente en los Estados Unidos.

Por supuesto que agradecí, y siempre lo haré, por la oportunidad de empezar de nuevo en este país. Pero, además, me encontré rodeada de grupos de personas maravillosas, que promovían diversas prácticas de gratitud que yo desconocía.

Me refiero a personas con dificultades visuales, los invidentes y el equipo de voluntarios y profesionales del Lighthouse of Broward.

El optimismo de muchos compañeros, la practicidad de otros, el conocimiento formal de los psicólogos y consejeros, todo sumó para impulsarme a investigar aún más y a practicar de forma habitual la gratitud. A encontrar razones reales, genuinas y poderosas para sentirme agradecida, a pesar de las condiciones limitantes, que todos tenemos en la vida.

Tras completar mi reentrenamiento de vida, como suelo llamar a mi paso por el Lighthouse e iniciar mis estudios para certificarme como Coach Personal, descubrí que lo que intuitivamente percibía como beneficioso tenía bases científicas en algunos casos y en otro sustento estadístico, histórico o tradicional.

Compartiendo tesoros

Siempre me ha gustado compartir mis hallazgos con amigos y familiares. Si encuentro un buen sitio para comer, llevar a los niños, obtener un servicio o una consulta profesional, lo comento y paso a mi círculo, con el mayor detalle posible: dirección, teléfono, email, tarifas, etc.

Así que no podía hacer menos con el tesoro de la gratitud. No solo es una herramienta para ser feliz, más productivo o saludable, como presentamos en el capítulo 2. La gratitud es una contribución, un aporte al bienestar general. Es un estado que nutre al que lo experimenta, y que se expande a quienes lo rodean.

La gratitud es un mecanismo de protección contra la ansiedad, el agobio ante los problemas y la negatividad circundante. Nos permite al conectarnos con ella, focalizar nuestra atención en lo que está bien, en lo positivo. Nos impulsa a analizar lo negativo desde una perspectiva que nos permita superarlo y trascender.

Habituándose a la gratitud

Para incorporar la gratitud como un hábito y, en general, para adoptar cualquier conducta habitual, se requiere repetirla por espacio de varias sesiones o días.

La mayoría de los especialistas en conducta humana han determinado, que hay que repetir diariamente por 21 días consecutivos, el hábito que se desea fijar.

Esa es la razón por la que numerosos programas de nutrición, meditación e incluso, programas para dejar algún mal hábito, operan en ciclos de 21 días.

Más recientemente, psicólogos británicos han determinado que la fijación de un hábito es un proceso individual, que puede tomar entre 18 y 66 días, según estudios realizados en sujetos de diversas edades y antecedentes, que intentaban desarrollar hábitos diversos, desde ejercitarse diariamente hasta dejar de postergar actividades.

Por ello en la segunda parte de este libro, le ofrezco un total de 63 páginas para completar como diario de gratitud: tres ciclos de 21 días, casi idéntica cantidad de páginas como días máximos necesarios para la construcción de hábitos, según el último estudio citado.

En nuestro caso, para hacernos el hábito de agradecer, le propongo la escritura diaria de bendiciones. Esto es, hacer una lista escrita de algunas de las razones que usted tiene para sentirse agradecido en ese día en particular.

Le recomiendo escoger un número, entre 3 y 5. Y describir brevemente en su diario esas 3, 4 ó 5 cosas, situaciones o personas por las que se siente agradecido.

Al describirlas, trate de identificar las emociones o sentimientos que le causa cada enumeración: por ejemplo alegría, paz, honor, satisfacción, etc.

Procure identificar un momento del día en que le sea cómodo escribir. Puede ser en la mañana, antes de iniciar su rutina matutina, o antes de acostarse. La escritura en el diario es una preparación para las actividades subsiguientes, que propicia estados mentales y físicos de enfoque, claridad y productividad.

Tanto por investigaciones científicas, como por mi experiencia personal, puedo decir que un excelente momento para escribir en su diario de gratitud es antes de irse a dormir. De esta manera se hace una transición progresiva de la actividad al reposo, con una actitud mental positiva, relajada y optimista, que facilita el sueño.

Este libro contiene espacio para que usted comience la formación del hábito de la gratitud en un formato que esperamos sea práctico, agradable a la vista e inspirador.

Como mencioné anteriormente, hay páginas suficientes para tres ciclos de 21 días. Posteriormente, puede continuar en un cuaderno especialmente dedicado a la gratitud, en formato tradicional o electrónico.

Le propongo estas páginas de papel porque escribir a mano tiene un efecto benéfico. Nos lleva a ejecutar una actividad que probablemente no acometíamos desde nuestra época estudiantil, activando conexiones mentales y emocionales que utilizamos poco en nuestra vida actual, donde predominan los dispositivos electrónicos y la transmisión instantánea.

Escribir el diario de gratitud, además nos permitirá en un futuro revisitar recuerdos gratos y evaluar nuestro avance hacia el objetivo de una vida abundante en bienestar y logros.

Personalice el hábito

Cada uno de nosotros tiene un estilo particular de hacer las cosas. Y en el caso de la gratitud, muy seguramente, usted va a completar su proceso diario de escritura de forma especial y diferente a la que yo o cualquier otra persona lo harían.

No obstante, me atrevo a hacerle algunas sugerencias adicionales para que esta actividad sea aún más especial y gratificante.

- Procure mantener juntos este libro, su diario de gratitud, lápiz o bolígrafo y cualquier otro elemento que requiera para escribir, como lentes, saca puntas o afiladores de lápices, lámpara, etc.
- Acompañe la escritura en el diario de gratitud con algún elemento especial, como una vela aromática, música suave o simplemente, total silencio y recogimiento.
- Ubíquese en una actitud mental relajada pero atenta, antes de iniciar la escritura. Para ello, haga unas 2 o 3 respiraciones profundas con los ojos cerrados.
- Si desea, puede leer la sección *Soplos de inspiración* correspondiente a la página que utilizará para su entrada del diario. O, si lo prefiere, lea esta sección como cierre del ejercicio.
- Revise mentalmente los momentos, personas o actividades de ese día, por las cuales siente genuina gratitud. Escoja las que comentará en el diario. Anótelas.
- Recuerde llenar el espacio correspondiente a fecha y hora

en su página del diario.

Es importante registrar en el diario las emociones, y sensaciones corporales que le producen la gratitud. Conectarse con estas emociones, forma parte del proceso sanador que la gratitud genera.

En ocasiones, estas emociones pueden ser intensas, llevándole a un estado de euforia, o de lágrimas. No se asuste. Dé la bienvenida a estas emociones intensas y, simplemente, experiméntelas.

Nuestra vida cotidiana, muchas veces, no nos provee de tiempo u oportunidades de experimentar emociones. Todo sucede muy rápidamente: una tarea sigue a la otra, en un afán, a veces sin sentido, por producir más, hacer más o demostrar más. Al final del día estamos exhaustos, porque entre otras cosas, no permitimos que nuestras emociones se expresen libremente.

Cuando nuestro cuerpo retiene algún elemento vital, como líquidos, heces, o tensión muscular, sobrevienen inflamaciones, incomodidad e, incluso, dolor o enfermedad.

Lo que muchas personas desconocen es que contener las emociones, no permitir que afloren o *fluyan* libremente, puede causar enfermedades y dolor, igual que la retención de otras emanaciones corporales.

Hoy en día se atribuye una mayor importancia a la canalización saludable de emociones. En algunos casos como terapia adicional en el tratamiento de enfermedades de pronóstico letal, como el cáncer.

Sin pretender ser médico y, como mero mecanismo de prevención, recomiendo a mis clientes de coaching ciertas técnicas para permitir el flujo saludable de emociones. Una de ellas es esta que presento en este libro: el diario de gratitud.

Como he mencionado en capítulos previos, la práctica de la gratitud puede extenderse hacia lo aparentemente negativo en nuestras vidas, al aproximarnos a estas circunstancias como aprendizajes. Bajo esta premisa, las emociones que la gratitud nos genera pueden ser un tanto desconcertantes, al principio. Veamos un ejemplo.

Mary era madre de 2 niñas. Así que cuando el médico le anunció, en el quinto mes de embarazo, que tendría un varoncito, su alegría fue inmensa. Pero había un detalle adicional. Debía hacerse una prueba más, para estar seguros, pero todo indicaba que el bebé venía con síndrome de Down.

Mary se debatía entre la gratitud, pues estaba esperando su ansiado hijo varón. Y el miedo ante la condición del bebé. Lloró mucho al principio, se cuestionó su fe, su suerte, incluso los antecedentes familiares propios y de su esposo.

No fue fácil. Pero tras el nacimiento del bebé y, a medida que fue creciendo y evolucionando, llegó a agradecer por haberlo tenido. El niño los hizo aprender sobre estimulación motriz y psicológica, los convirtió en una familia que trabajaba en equipo, ayudándose para criar a este niño especial. Las hermanas se tornaron más pacientes y compasivas con su hermanito, de lo que habían sido entre ellas. Los padres no solo estaban más pendientes de las necesidades emocionales del niño especial, sino también de las niñas y de ellos como pareja.

Las emociones de Mary evolucionaron del dolor a la aceptación. Finalmente, a la alegría por cada logro del niño. Y, en definitiva a la proactividad, compartiendo su experiencia e información con otros padres de niños con igual condición.

"Al recibir la noticia", me comentó Mary, "me cuestioné muchas cosas. Sin embargo, nunca fue una opción el aborto. Mi esposo y yo somos creyentes, y consideramos a la vida un regalo de Dios: él la da y solo él la quita. Decidimos prepararnos con información, charlas y discusiones sobre cómo criar adecuadamente a un niño Down. Ofrecía mi tristeza y desconcierto a Dios a cambio de luz y guía para cumplir la misión de criarlo a él y a mis niñas".

La espiritualidad de Mary la aproximó a la gratitud. Cada logro de su familia, de su nuevo bebé, era razón para agradecer. "A pesar de que solía sentirme cansada por todo el trabajo en casa, y un tanto triste por las demostraciones de curiosidad o lástima que recibía mi niño, al final del día procuraba escribir en mi diario de gratitud, sin falta, sobre los eventos de la jornada. Eso me ayudó a mantenerme fuerte y a aprender de esos primeros años", me dijo Mary, con la mirada perdida en los distantes recuerdos, pero con una sonrisa y una expresión apacible.

Como se observa en este ejemplo, la escritura en un diario de gratitud proporciona un mecanismo para canalizar emociones, dejándolas fluir fuera de nuestros sistemas corporales y mentales, en forma de escritura. Permitiendo, además, revisar el progreso, los logros de objetivos y retos en la superación de una circunstancia, inicialmente percibida como adversa. Esta revisión no solo permitió un aprendizaje y crecimiento a Mary y su familia. Incluso está sirviendo de ejemplo para usted y para mí, como testigos del relato de Mary, de cómo la gratitud puede ayudar en un proceso de aceptación.

Bloqueos y obstáculos

Como todo proceso personal, la formación de hábitos puede enfrentar retos durante su desarrollo. En otras palabras, podemos sentirnos apáticos, cansados o faltos de tiempo para escribir en el diario. O tan tristes y frustrados que pensamos que no podemos sentirnos agradecidos por nada.

Igual que hacer ejercicios, dejar de comer harinas o habituarnos a pasarnos el hilo dental, la formación del hábito de la gratitud puede verse amenazada por actitudes negativas o pensamientos derrotistas.

Para lograr identificar los bloqueos y poder superarlos, debemos familiarizarnos con los tres elementos que facilitan la formación de hábitos. Si bien aquí vamos a focalizarnos en el hábito de la gratitud y, más específicamente, en la escritura diaria de bendiciones, estos elementos y recomendaciones para la formación de hábitos son válidos para todo tipo de hábito.

Sin embargo, es preciso aclarar que hay diferencias, por ejemplo, en los grados de energía necesarios para trotar todos los días en la mañana, y escribir todas las noches en el diario. Es importante observarse a uno mismo y determinar las características personales, horas del día más oportunas para determinada actividad, acompañamientos favoritos, etc.

Para transformar una conducta de ocasional en habitual, es decir, para formar un hábito, las personas requerimos de tres elementos:

- **Recordatorio:** un elemento que nos motive a iniciar la actividad que queremos convertir en hábito.

En nuestro caso, este libro pretende convertirse en ese recordatorio. Por eso sugería colocarlo en un sitio especial, donde le sea fácil accederlo diariamente, para escribir en la sección del diario o para que sirva de fuente de consulta de información, cuando esté escribiendo en un cuaderno–diario separado.

- **Rutina:** la acción a ejecutar.

El apunte en el diario, de las 3, 4, ó 5 situaciones, personas o cosas por las cuales se siente agradecido o agradecida ese día. La idea es que este acto de escritura sea fácil y placentero, de ahí las recomendaciones sobre creación de ambiente con velas o música, tener a mano todo lo necesario para escribir y focalizar la atención. Aprovecho para recalcar que es importante registrar en su entrada diaria, los sentimientos y emociones que cada elemento registrado genera en usted. Es sumamente importante conectarse con las emociones de la gratitud, experimentarlas y, si acaso, alguna le llama más la atención, analizarla con mayor profundidad en otra ocasión, por usted mismo o con el apoyo de un Coach Personal.

- **Recompensa:** experimentar los beneficios que el hábito genera.

En el caso de la escritura diaria de bendiciones, el primer beneficio a experimentar es el flujo de emociones generadas por la gratitud. Otros beneficios inmediatos pudieran ser facilitar el sueño, si es que se escribe en el diario antes de irse a dormir o un estado mental de claridad, si lo hace en otro momento del día. Los demás beneficios pudieran manifestarse a mediano plazo, según cada persona.

Para una lista más amplia de beneficios, puede releer el capítulo 2, "La evidencia de su Poder".

Teniendo presente estos tres elementos, Recordatorio, Rutina y Recompensa, se facilitará la fijación del hábito en nuestra conducta. Sin embargo, no hay que abandonar el proceso de formación del hábito porque no se escribió un día o porque se piense que no experimentamos alguna situación muy relevante.

La repetición, día a día, de uno en uno, es lo que permite afianzar el hábito. La *curva de aprendizaje,* referida a la conducta que queremos hacer habitual, se construye con la repetición. A medida que se avanza, se van obteniendo los beneficios de manera cada vez más evidente.

A pesar de que pudiera sonar complicado para el caso de la gratitud, trate de cuantificar esos beneficios. Por ejemplo, más horas de sueño, menor angustia ante lo desconocido, más tareas realizadas durante el día (mayor productividad). Estas cuantificaciones nos permiten valorar los beneficios o recompensas más fácilmente, reforzando la práctica del hábito.

En conclusión, para evitar bloqueos en el desarrollo del hábito, aprenda a facilitarse el proceso.

Ubique el elemento recordatorio en un lugar de fácil acceso. Observe cuáles son las condiciones propias y del entorno que le facilitan la rutina. Los obstáculos pueden aparecer en cualquier momento, en forma de olvido involuntario, cansancio, enfermedad o desánimo. Retome la rutina tan pronto como pueda superar el obstáculo, pues la repetición es la clave para la formación del hábito. Identifique y cuantifique en lo posible, los beneficios o recompensas que recibe por la práctica de su hábito.

En el caso de la gratitud, me atrevo a asegurárselo, esos beneficios no tardarán en aparecer. ¡Y serán abundantes!

Capítulo 5. Mi receta personal para agradecer. (Como usar este libro cuaderno).

Todo sucede por una razón. Y, a veces, esa razón no es evidente, sino con el paso del tiempo.

Yo creo en eso. Porque muchas veces en la vida me ha tocado experimentar algo, conocer a alguien, dejar de lado una idea, para posteriormente darme cuenta que fue lo mejor. Que algo mejor, alguien más bondadoso o apto para la situación aparecería posteriormente.

Con este libro sucedió eso.

Siempre me ha gustado escribir, y desde niña lo hacía, en forma de poemas, canciones, cartas a amigos reales o imaginarios, y mis queridos cuentos cortos. Ya de adulta me interesé por escribir ficción e incluso pasé más de cuatro años investigando y escribiendo una novela, que aún no termino.

Pero este libro se escribió solo. La idea surgió como una terapia, como un ejercicio de fluidez de emociones y curiosidades reales, que me fueron llevando a recordar y retomar ideas, a leer, investigar, poner en práctica nuevas ideas. Y finalmente, escribir.

No abandono mi proyecto de la novela. Solo que el del libro sobre la gratitud tomó más fuerza, me llevó a la acción. Y aquí está el resultado.

Una elección. De las muchísimas que hacemos en la vida. Y que son las que le dan forma a la experiencia humana.

La gratitud es una elección. Como lo fue abandonar la escritura de la novela y movilizarme a escribir un libro de ayuda mutua. Porque este libro que, como dije, ha sido una terapia para mí, espero le sirva a usted de inspirador, de motivador para un cambio positivo en su propia experiencia. Y si, además, ese cambio en usted repercute positivamente en su entorno, usted, yo y todos nos beneficiaremos.

Vivir *En Modo Agradecido,* llevando el diario de gratitud, para mí en lo personal ha sido un elemento motivador para seguir adelante. Para continuar creciendo y sirviendo a quienes me rodean. Ha sido también un canalizador de angustias y estrés, sobre todo cuando agradezco la parte buena de lo que no va tan bien.

Y me imagino que me entiende. Porque no todo es perfecto en la vida y lo perfecto es enemigo de lo bueno y de la felicidad: de los logros pequeños, de las metas intermedias, que no mediocres, sino transitorias hacia una meta mayor y mejor.

Yo escribía en mi diario de gratitud, en mi cuadernito de tapas de cuero con una liga de goma, que sustituyó a la cinta de seda con la que venía el cuaderno originalmente, cuando el uso cotidiano hizo lo suyo.

El ejercicio manual es maravilloso. Puede acompañar lo escrito con dibujitos. Yo lo hacía: mis *emoticones personales.*

Ya no escribo en papel. Me cuesta mucho, porque se me tuercen las líneas, la letra me queda horrorosa. Y porque además, no me era fácil releer lo que escribo, porque me canso y ya ni con lentes lograba leer.

Así que me mudé al computador portátil con teclado. La tableta me frustra, porque no atino a las teclas a la primera. Pierdo tiempo, ¡como si eso importara! Realmente, prefiero el contacto con el teclado, puedo escribir más palabras sin errores, concentrándome en las emociones y las ideas. Y hago mi lista de bendiciones, con emociones incluidas, todos los días.

Algunas cosas aparecen repetidamente, sobre todo mis personas favoritas o actividades básicas, como ver un nuevo día o respirar.

Y cuando no puedo escribir, agradezco mentalmente. A veces me extiendo un poquito más, como en una meditación, porque puedo hacerlo tendida en la cama antes de dormir, sentada o hasta cepillándome los dientes.

Ya he mencionado bastante, creo, que recomiendo escribir en el diario de gratitud antes de acostarse. Así lo hago yo, y doy fe del efecto relajante que tiene la actividad. Adicionalmente, los pensamientos y emociones de gratitud preparan al subconsciente para expresarse más libremente mediante los sueños.

Si bien no poseo un estudio psicológico o una referencia científica que pruebe lo que acabo de compartirles, por mi experiencia personal puedo asegurar que escribir mis bendiciones y agradecer antes de ir a la cama, me ha permitido dormir bien, sin pesadillas, por muchos años. Al menos 12 hasta ahora.

En algunos momentos he probado encender mis velas aromáticas (la fragancia recomendada para relajación es la lavanda), he puesto música relajante para escribir, e incluso he orado antes y después de escribir en el diario. Actualmente prefiero el silencio. Solo escucho el deletreo del lector de pantalla del computador, que me permite escribir y corregir, tal como lo estoy usando para escribir este libro.

Así que mi práctica de gratitud diaria ha evolucionado. Y, muy probablemente, la suya también evolucione, adaptándose a sus circunstancias y preferencias. Eso es lo que hace un hábito verdadero. Es una rutina que se integra con suavidad a su día a día, y evoluciona con él.

Manos a la obra

Dispóngase a escribir diariamente sus bendiciones. Estos son los pasos, a manera de receta.

1. **Prepare el ambiente:** ubique el sitio que le sea cómodo para escribir. Coloque allí su libro, cuaderno, lápiz o bolígrafo, luz, lentes, todos los útiles requeridos.
2. **Preparación mental:** focalice su atención de forma relajada, utilizando las tres respiraciones profundas por la nariz, con los ojos cerrados.
3. **Complete con elementos especiales:** si es de su agrado, enriquezca su experiencia con aromas o sonidos que le faciliten la concentración y la relajación. Puede leer la sección *Soplos de inspiración* antes de iniciar la escritura.
4. **Cumpla con su rutina:** seleccione el número de elementos a agradecer, o bendiciones. Le sugiero entre 3 a 5. Enúncielas, es decir, mencione el qué agradece. Descríbalas en su diario, esto equivale a explicar el por qué agradece por ello. Hágalo además, incluyendo las emociones y sensaciones que la gratitud le inspiran.
5. **Recuerde anotar fecha y hora del ejercicio en el diario.** Esto le permitirá revisar su cumplimiento del hábito, ayudándolo a determinar también la hora más favorable para su práctica.

Revise periódicamente sus anotaciones, note los cambios que la práctica de la gratitud han ocasionado a su vida. Esta es la recompensa de bienestar que la gratitud ofrece.

No me queda más que agradecerle, por haberme permitido

compartir estas ideas y sugerencias con usted. Le reitero mi más sincero deseo por su bienestar, y que vivir *En Modo Agradecido* le permita una existencia más feliz y abundante en bendiciones.

SEGUNDA PARTE: *Diario de gratitud*

Día 1: / /

Hora:

Soplos de Inspiración

La verdadera gratitud nace espontáneamente. Nuestras propias acciones deben ser el reflejo de lo que sentimos, de lo que consideramos positivo y apropiado. El simple hecho de poder expresarnos libremente debe ser nuestra recompensa.

"Compórtate con amabilidad, pero no esperes gratitud"

Confucio (551-479a.C.). Filósofo chino.

Regalos del día

____

____

____

____

____

____

____

Día 2: / /

Hora:

Soplos de Inspiración

Para experimentar felicidad y alegría, la gratitud es una gran aliada. Conviértala en su confidente, cuando no pueda dar las gracias directamente a quien le beneficia. Pero sobre todo, acceda a su máximo poder al expresarla.

Regalos del día

Día 3: / /

Hora:

Soplos de Inspiración

La gratitud es como un músculo, que se desarrolla y fortalece con el ejercicio. Incluso si se cree que se carece de él, la práctica permitirá que el sentimiento de agradecimiento aparezca.

Regalos del día

Día 4: / /

Hora:

Soplos de Inspiración

Cuando el cansancio apague tus fuerzas, agradécele haber acompañado tu logro.

Muchas veces nos enfocamos en las dificultades que nos generan una vida plena de actividades, personas de quien ocuparnos, y proyectos por realizar. Olvidamos que tan solo por tener tanto que hacer, y por la oportunidad de hacerlo, debemos agradecer y focalizarnos en la acción.

Regalos del día

Día 5: / /

Hora:

Soplos de Inspiración

"Levantémonos hoy y seamos agradecidos, porque si no aprendimos mucho, al menos algo aprendimos. Y si no aprendimos algo, al menos no nos enfermamos. Y si nos enfermamos, al menos no morimos. Así que hoy debemos estar todos agradecidos."

Buda

Regalos del día

Día 6: / /

Hora:

Soplos de Inspiración

La gratitud abre la puerta a la plenitud de la existencia. Transforma lo que tenemos en más que suficiente. Convierte la negación en aceptación, el caos en orden, la confusión en claridad. Una comida se convierte en un banquete, una casa se torna en hogar, un desconocido en amigo.

Regalos del día

Día 7: / /

Hora:

Soplos de Inspiración

La gratitud le da sentido a nuestro pasado, trae sosiego a nuestro presente y optimismo a nuestro futuro.

Regalos del día

Día 8: / /

Hora:

Soplos de Inspiración

Gracias es el acorde principal de la música de la amistad.

Regalos del día

Día 9: / /

Hora:

Soplos de Inspiración

Ingrato es quien no reconoce que agradeciendo se hace un regalo a sí mismo.

Regalos del día

Día 10: / /

Hora:

Soplos de Inspiración

Algunas personas piensan que orar es para los religiosos, porque confunden religiosidad con espiritualidad. Pero si la única oración que usted dice en su vida es: "Muchas Gracias", será más que suficiente, como práctica espiritual.

Regalos del día

Día 11: / /

Hora:

Soplos de Inspiración

Según Aristóteles, el agradecimiento envejece rápidamente. *¿Será por ello que hay que expresarlo siempre que se pueda?* A veces las personas olvidamos refrescar nuestra propia memoria así como la de los demás.

Regalos del día

Día 12: / /

Hora:

Soplos de Inspiración

Alguien orgulloso rara vez se siente agradecido, pues considera que nunca obtiene suficiente de lo que piensa que se merece.

Regalos del día

Día 13: / /

Hora:

Soplos de Inspiración

"El que no da las gracias por poco, no agradecerá por mucho."

Proverbio de Estonia

Regalos del día

Día 14: / /

Hora:

Soplos de Inspiración

Puede enseñarse a decir *gracias*, pero no a ser agradecido. El agradecimiento es un sentimiento que crece con la práctica.

Regalos del día

Día 15: / /

Hora:

Soplos de Inspiración

Hagamos de la gratitud la ofrenda diaria y la oración nocturna a Dios.

Regalos del día

Día 16: / /

Hora:

Soplos de Inspiración

Siempre tenemos algo en la vida por lo cual agradecer.

Regalos del día

Día 17: / /

Hora:

Soplos de Inspiración

Detenernos a observar lo que tenemos, y a dar las gracias por ello, son los pasos iniciales para incrementar la abundancia.

Regalos del día

Día 18: / /

Hora:

Soplos de Inspiración

A veces cuesta agradecer, porque no podemos observar inmediatamente el resultado de un hecho. Distanciarnos no es solo cuestión de espacio, sino también de apasionamiento.

Regalos del día

Día 19: / /

Hora:

Soplos de Inspiración

Agradecer equivale a regar las semillas de nuestro bienestar.

Regalos del día

Día 20: / /

Hora:

Soplos de Inspiración

Una actitud agradecida hace posible la humildad, que es tan importante cuando servimos a los demás.

Regalos del día

Día 21: / /

Hora:

Soplos de Inspiración

"Aquel que recibe un beneficio, nunca debe olvidarlo; aquel que lo otorga, nunca debe recordarlo"

Pierre Charron (1541-1603). Filósofo francés.

Regalos del día

Día 22: / /

Hora:

Soplos de Inspiración

"La esperanza tiene buena memoria. La gratitud tiene una muy mala."

Baltasar Gracian (1601 – 1658) Filósofo y escritor español.

Regalos del día

Día 23: / /

Hora:

Soplos de Inspiración

Quizás aún peor que tener que agradecer constantemente, es recibir la gratitud de los demás. En ese caso, la elocuencia del silencio y una sonrisa son suficientes.

Regalos del día

Día 24: / /

Hora:

Soplos de Inspiración

Por los amigos sentimos afecto y agradecimiento, reconozcámoslos como ayudantes providenciales en nuestra experiencia humana.

Regalos del día

Día 25: / /

Hora:

Soplos de Inspiración

"No arrojes en la fuente de la que has bebido."

Talmut.

Por cambios de circunstancias, podemos encontrarnos disgustados por algo o con alguien con quien tenemos una deuda de gratitud. No empañemos nuestra memoria con rencor, sino con agradecimiento y silencio.

Regalos del día

Día 26: / /

Hora:

Soplos de Inspiración

Podemos escoger muchas formas de expresar nuestra gratitud. Pero la más elocuente es vivir honrando aquello por lo que estamos agradecidos.

Regalos del día

Día 27: / /

Hora:

Soplos de Inspiración

"El agradecimiento es la memoria del corazón."

Lao-Tsé (570 – 490 A.C.) Filósofo taoísta

Regalos del día

Día 28: / /

Hora:

Soplos de Inspiración

"Ningún hombre digno pedirá que se le agradezca aquello que nada le cuesta."

Terencio (185? A.C. – 159 A.C.) Comediógrafo latino

Regalos del día

Día 29: / /

Hora:

Soplos de Inspiración

El que no agradece, probablemente nunca mereció lo que recibió.

Regalos del día

Día 30: / /

Hora:

Soplos de Inspiración

"El agradecimiento es la parte principal de un hombre de bien."

Francisco de Quevedo (1580-1645) Escritor español

Regalos del día

Día 31: / /

Hora:

Soplos de Inspiración

Tras recibir un beneficio, el agradecido no solo reconoce a su benefactor directo, sino también a todo aquel que hizo posible que ese benefactor pudiera ayudarlo.

Regalos del día

Día 32: / /

Hora:

Soplos de Inspiración

La gratitud nos hace más agradables a los demás. Y es más barata y menos dolorosa que la cirugía estética.

Regalos del día

Día 33: / /

Hora:

Soplos de Inspiración

Cuando recuerdo a todos aquellos que me han apoyado, amado, ayudado y hasta criticado en la vida, mi agradecimiento se resume en desearles doblemente lo que he recibido de ellos.

Regalos del día

Día 34: / /

Hora:

Soplos de Inspiración

Los grandes maestros no lo son por grandes, sino por sabios y agradecidos de quienes aprendieron lo que ahora nos enseñan.

Regalos del día

Día 35: / /

Hora:

Soplos de Inspiración

Hoy agradezco a la gratitud, por la calma que trae a mi vida cuando la siento y el amor que sigo recibiendo cuando la expreso.

Regalos del día

Día 36: / /

Hora:

Soplos de Inspiración

La práctica de la gratitud magnifica los beneficios de otras prácticas espirituales, como la meditación y la caridad. ¿Cuáles son sus prácticas espirituales favoritas?

Regalos del día

Día 37: / /

Hora:

Soplos de Inspiración

"Hay tantos regalos / aún sin abrir desde tu nacimiento / hay tantos presentes hechos a mano / que te han sido enviados por Dios. / Al Bienamado no le molesta repetir / 'Todo lo que tengo también te pertenece.'"

Hafiz, poeta sufí.

Regalos del día

Día 38: / /

Hora:

Soplos de Inspiración

Es momento de reverenciar con gratitud todos los presentes de belleza, gozo, amor, risas y alegría con los cuales la divinidad engalana nuestra existencia.

Regalos del día

Día 39: / /

Hora:

Soplos de Inspiración

"Hay tanta grandeza de mente en reconocer una buena acción, como en hacerla."

Séneca (4 A.C. – 65) Filósofo y dramaturgo romano

Regalos del día

Día 40: / /

Hora:

Soplos de Inspiración

Te daré gracias, Señor, de todo corazón; / te cantaré himnos delante de los dioses. / Me arrodillaré en dirección a tu santo templo / para darte gracias por tu amor y tu verdad, / pues has puesto tu nombre y tu palabra / por encima de todas las cosas.

Salmo 138.

Regalos del día

Día 41: / /

Hora:

Soplos de Inspiración

Celebra por todo aquello que tienes, y de lo cual deseas más en tu vida. La gratitud por la abundancia multiplica tus dones y felicidad.

Regalos del día

Día 42: / /

Hora:

Soplos de Inspiración

"No hay en el mundo exceso más bello que el de la gratitud."

Proverbio judío

Regalos del día

Día 43: / /

Hora:

Soplos de Inspiración

Si para sentir y expresar amor, lealtad y gratitud se requiere tener alma, entonces muchos animales poseen un alma enorme.

Regalos del día

Día 44: / /

Hora:

Soplos de Inspiración

Sin importar cuan brillante o tormentoso es el día que hoy me toca vivir, mantengo una actitud agradecida. E incluso, si insisto en verlo tormentoso, recuerdo que siempre habrá un nuevo día mañana.

Regalos del día

Día 45: / /

Hora:

Soplos de Inspiración

"Cultive el hábito de ser agradecido por toda cosa buena que recibe y exprese su gratitud continuamente. Y, como todas las cosas contribuyen a su avance, incluya todas las cosas en su gratitud."

Ralph Waldo Emerson (1803-1882) Poeta, ensayista y expositor estadounidense

Regalos del día

Día 46: / /

Hora:

Soplos de Inspiración

"Siendo niños éramos agradecidos con los que nos llenaban los calcetines por Navidad. ¿Por qué no agradecíamos a Dios que llenara nuestros calcetines con nuestros pies?"

Gilbert Keith Chesterton (1874-1936) Escritor británico

Regalos del día

Día 47: / /

Hora:

Soplos de Inspiración

"La gratitud, como ciertas flores, no se da en la altura y mejor reverdece en la tierra buena de los humildes."

José Martí (1853 – 1895) Escritor y héroe cubano

Regalos del día

Día 48: / /

Hora:

Soplos de Inspiración

"El amor es lo más grande que Dios nos pudo dar, si no lo tienes, búscalo; si lo tienes cuídalo y da gracias, eres una persona afortunada."

Anónimo

Regalos del día

Día 49: / /

Hora:

Soplos de Inspiración

"No hay deber más necesario que el de dar las gracias."

Marco Tulio Cicerón (106-43 a.C.) Retórico y estilista latino

Regalos del día

Día 50: / /

Hora:

Soplos de Inspiración

"La ostra enferma porque lleva la perla, y tu da gracias al cielo que te ennoblece con el dolor."

Friedrich Rückert (1788 - 1866). Catedrático de orientalística en Erlangen y Berlín.

Regalos del día

Día 51: / /

Hora:

Soplos de Inspiración

"Estén siempre alegres, oren sin cesar, den gracias a Dios en toda situación, porque esta es su voluntad para ustedes (...) DAD GRACIAS EN TODO..."

1 Tesalonisences 5:16-18

Regalos del día

Día 52: / /

Hora:

Soplos de Inspiración

"Y a todos aquellos que un día lanzaron piedras sobre mí. ¡Gracias! Porque con ellas he construido los muros de mi casa donde hoy habita mi alma."

Anónimo

Regalos del día

Día 53: / /

Hora:

Soplos de Inspiración

La amistad es el jardín que regamos con gratitud para que florezca toda una vida.

Regalos del día

Día 54: / /

Hora:

Soplos de Inspiración

"Si yo pudiera enumerar cuánto debo a mis grandes antecesores y contemporáneos, no me quedaría mucho en propiedad."

Johann Wolfgang von Goethe (1749 – 1832) Escritor germano

Regalos del día

Día 55: / /

Hora:

Soplos de Inspiración

"La gratitud es el más precioso capullo que brota del alma."

Henry Ward Beecher (1813-1887) Político estadounidense

Regalos del día

Día 56: / /

Hora:

Soplos de Inspiración

Me siento *agradecido* por ser como soy.

Regalos del día

Día 57: / /

Hora:

Soplos de Inspiración

Se puede experimentar tanta felicidad al servir a otros, que provoca darles las gracias.

Regalos del día

Día 58: / /

Hora:

Soplos de Inspiración

"Demos gracias a los hombres y a las mujeres que nos hacen felices, ellos son los encantadores jardineros que hacen florecer a nuestros espíritus."

Will Rogers (1879 - 1935). Actor estadounidense

Regalos del día

Día 59: / /

Hora:

Soplos de Inspiración

"No, soy yo, el que le da las gracias a usted...por haberla encontrado..."

Fiodor Mijailovich Dostoievski (1821 - 1881). Novelista ruso

Regalos del día

Día 60:   /   /

Hora:

Soplos de Inspiración

"Aquel que no agradece un pequeño favor, no agradecerá uno grande."

Mahoma (570-632). Profeta del Islam

Regalos del día

Día 61: / /

Hora:

Soplos de Inspiración

Frecuentemente no agradecemos por algo realmente valioso, porque estamos acostumbrados o insensibles a su presencia en nuestras vidas.

Regalos del día

Día 62: / /

Hora:

Soplos de Inspiración

Cuando la elección que hacemos es agradecer por la circunstancia, cualquiera que esta sea, recargamos nuestras baterías de energía positiva para ejecutar las acciones que nos permitan superar la situación de la mejor manera.

Regalos del día

Día 63: / /

Hora:

Soplos de Inspiración

El amor es para compartirlo. Si ese amor le inspira a agradecer, comparta ese sentimiento con los demás. Verá como habrá valido la pena.

Regalos del día

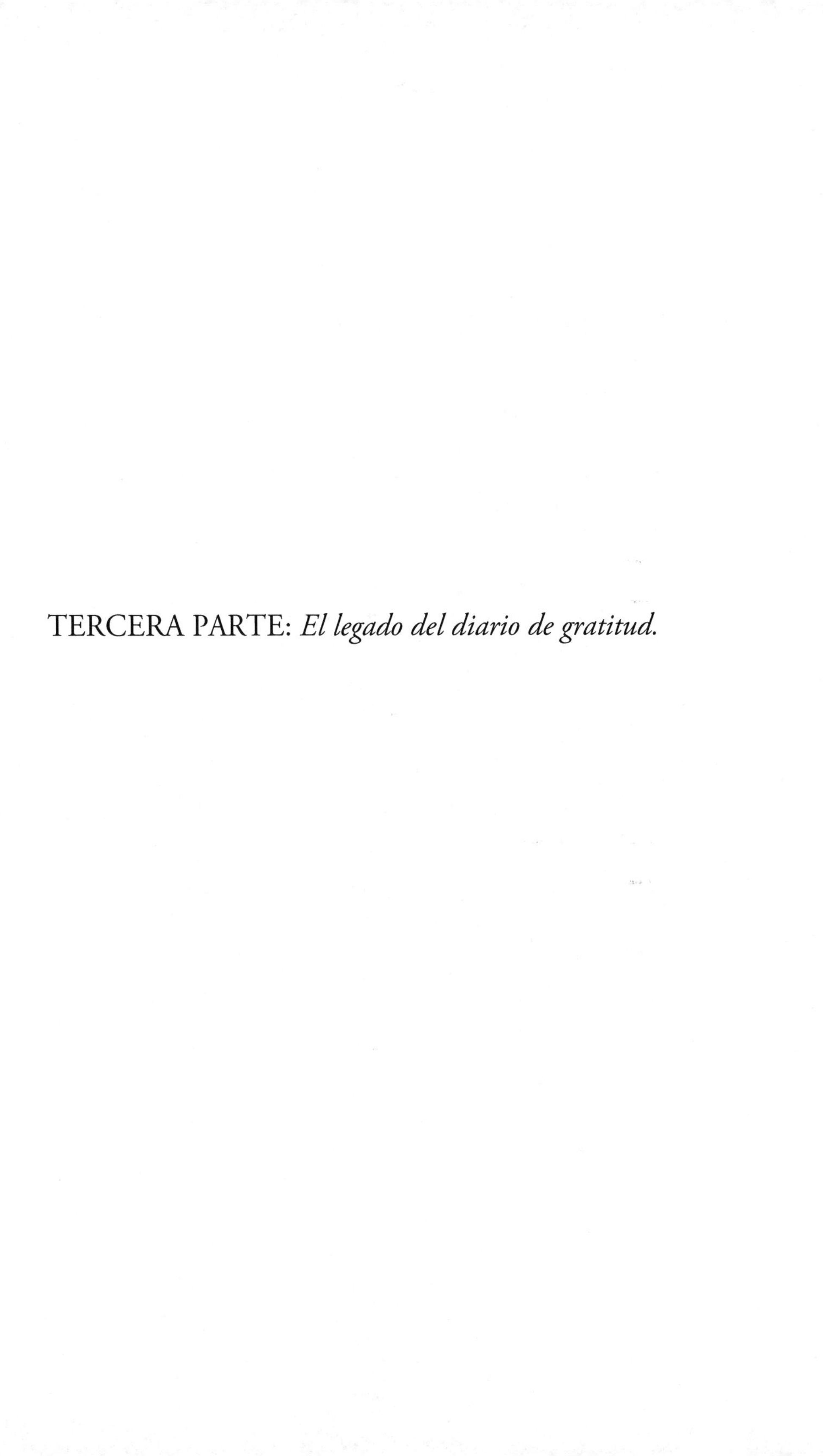

TERCERA PARTE: *El legado del diario de gratitud.*

Capítulo 1. Profundizando en las Recompensas.

Ojalá que a estas alturas la escritura en su diario de gratitud se haya manifestado en su vida con un incremento de su abundancia y bienestar.

La experiencia humana es un recorrido. Un tránsito desde el vientre materno hasta la reintegración con nuestro ser superior. Este recorrido ha sido comparado por escritores y poetas con un viaje por mar, por aire o por tierra.

Para mí es un camino. Una senda terrena sobre un planeta de tierra y agua. Iniciamos nuestro andar apenas tomamos nuestro primer aliento, tras el llanto que produce abandonar la amorosa y cálida morada en el seno materno.

Sin saber andar, comenzamos a transitar el camino. Con gran alegría, con bastante curiosidad y una pizca de temor, con el apoyo de padres y cuidadores, amigos y maestros. Y siempre, bajo la guía de nuestro ser superior.

Por momentos, somos valientes. Por momentos, somos cautelosos. Avanzamos, casi sin darnos cuenta, aun cuando a veces parezca que retrocedemos.

A veces toca cruzar una masa acuática, como un río o un océano, porque no podemos seguir avanzando, creciendo y aprendiendo con calidad de vida en la ribera donde nos encontramos.

Debemos, por tanto, prepararnos para cruzar, buscar un vehículo apropiado y atravesar la masa acuática, para recomenzar en la otra ribera a crecer, aprender y vivir con una nueva calidad.

Cada paso, cada travesía, puede llevarnos a zonas nuevas. Y, muy seguramente, necesitaremos cambiar internamente para adaptarnos a las nuevas condiciones. El cambio se da manteniendo tus valores y flexibilizando tus ideas.

Requeriremos presentarnos como personas a nuestros nuevos vecinos, a los organizadores o autoridades de ese nuevo lugar o país. Observando nuestras circunstancias, nuestras emociones y sensaciones para transformarnos, y agradecer lo que tenemos. Decantando la esencia personal de nuestro ser a través de la gratitud.

De esta forma, el pasaporte hacia una vida mejor, más plena y abundante en bendiciones es la gratitud.

La gratitud, en primer lugar, por la oportunidad de comenzar de nuevo, de poder aportar lo que somos y sabemos a un nuevo grupo humano. Agradecer por los nuevos y potenciales logros, las nuevas amistades o afectos, la nueva morada y la nueva comunidad humana.

La gratitud nos conecta con la abundancia, con la potencialidad infinita. Con el bienestar propio y el que podemos crear en nuestro entorno a través de nuestro trabajo o servicio.

Desarrollar la capacidad del agradecimiento y convertir en hábito su expresión, facilita nuestro ingreso en el nuevo contexto físico y de relaciones humanas en el cual nos toca vivir.

Desde el comienzo de su manifestación, el pasaporte de la gratitud hacia la abundancia y el bienestar facilitará nuestro acomodo, nuestra nueva realidad y nuestras nuevas emociones.

Todo camino tiene sus dificultades. Incluso los mejor mantenidos o acondicionados, nos pueden generar aprehensión, malestar, duda o ansiedad. Agradecer la oportunidad de experimentar el camino y sus *baches,* abre nuestra mente y espíritu hacia nuevas posibilidades, soluciones y oportunidades de desarrollo personal.

Y continuamos nuestro andar, en la confianza de que estamos preparados y equipados para alcanzar nuestros sueños y metas.

Profundizando en el hábito a través de siete preguntas

Cuando practicamos la gratitud, primeramente observamos los aspectos de nuestra experiencia vital, escogiendo aquellos que nos impacten de forma más determinante. La importancia que tiene cada aspecto es muy personal. Incluso, aquello por lo que agradecemos hoy, puede que ya no esté en nuestra lista física mañana o pasado. Pero siempre, estará en nuestra experiencia. En nuestros recuerdos, y en nuestro diario de gratitud.

Una vez identificamos qué es lo que agradecemos, debemos identificar por qué.

El por qué consiste en las razones específicas por las cuales agradecemos ese aspecto en nuestra vida. Puede ser porque es un medio, un paso o apoyo para lograr un objetivo complejo. Puede ser una persona, un grupo o equipo de personas que nos facilitan algún área de nuestra existencia.

El tercer paso es observar las emociones que se generan en nuestro ser, al agradecer ese aspecto. Reconociendo las emociones y sensaciones, logramos profundizar la experiencia del agradecimiento, creando recuerdos más completos e indelebles.

Si usted ha seguido las recomendaciones que damos en este libro, con la práctica diaria de escritura de bendiciones, habrá obtenido su pasaporte hacia la abundancia y bienestar. Las memorias positivas, producto de estos tres pasos, constituyen la base que permitirá alcanzar los beneficios de la gratitud en el largo plazo.

Como todo pasaporte, la gratitud nos permite expandir nuestro andar hacia nuevos caminos. Nos hace posible el viajar a lugares nuevos, interesantes, divertidos y enriquecedores, bien sea por negocios o placer. La gratitud expande nuestra capacidad para apreciar nuevos objetos, personas y experiencias.

Ahora bien, un pasaporte se solicita para usarse. En el caso de la gratitud, usar el pasaporte implica analizar también los beneficios o impactos de la práctica en nuestra vida.

Profundizar en nuestra experiencia con la gratitud, permite acelerar y enriquecer el proceso de crecimiento personal.

El enfoque que propongo para hacerlo, se basa en siete preguntas. Algunas aplican a los aspectos puntuales por los cuales se agradece, y otras preguntas analizan la práctica de la gratitud en general.

¿Cómo ha cambiado su vida tras experimentar la gratitud?

La práctica o hábito de la gratitud puede incentivar en usted muchos y variados cambios, que van desde la simple modificación de su rutina diaria hasta el inicio de otras prácticas de crecimiento personal, como hacer ejercicios, meditar, mejorar su comunicación o sus hábitos de ahorro e inversión.

Puede también que la práctica de la gratitud haya ocasionado el abandono de alguna actividad, el distanciamiento con personas o ideas que antes le parecían adecuadas o atractivas. Tanto por incremento como por reducción, la práctica de la gratitud modifica nuestras percepciones y, por tanto, nuestras acciones y relaciones.

Por ejemplo, en mi experiencia personal, la gratitud me ha ayudado a ser más disciplinada en el uso del tiempo. Primero, porque definir el mejor momento del día para escribir en mi diario, me hizo revisar y priorizar mis actividades. Y además, la identificación de una persona o actividad por la cual agradecer, me incita a invertir más tiempo en dicha actividad, o compartiendo con esa persona, o reduciendo el tiempo dedicado a otras actividades o desechándolas por completo.

¿Considera que la gratitud ha transformado su calidad de vida?

Como explicamos en el Capítulo 2, la gratitud ofrece beneficios a quien la practica en diversas áreas de la vida, desde la personalidad hasta las relaciones laborales, salud y emociones.

En el caso del aspecto que se analiza a profundidad, se recomienda identificar ese beneficio.

Observando qué obtenemos tras agradecer cierto aspecto, podemos identificar y tratar de repetir patrones benéficos en el área de nuestra vida que corresponda.

Así, por ejemplo, agradeciendo a cierto colega o subordinado en el trabajo, estamos fortaleciendo nuestros vínculos profesionales y haciendo más grato el ambiente laboral. Si el escribir en nuestro diario a cierta hora o expresar nuestro agradecimiento a alguien facilita una actividad posterior, como el sueño o la digestión, repitamos el acto de agradecimiento en ese mismo periodo el próximo día, para obtener el beneficio de salud correspondiente.

Estos patrones benéficos representan el refuerzo, la recompensa que permite afianzar la conducta de gratitud y formar el hábito.

Adicionalmente, experimentar los beneficios de la gratitud transforma y eleva nuestra calidad de vida en general, pues estos patrones benéficos suelen tener repercusiones en múltiples aspectos de nuestra vida. Por ejemplo, mejores relaciones laborales pueden mejorar la productividad y el éxito económico. Mejores condiciones de salud física y mental nos permiten ser más estables emocionalmente y facilitan nuestra vida familiar y de pareja.

En resumen, identificar el beneficio específico que la gratitud hacia un aspecto o persona nos produce, nos hace más conscientes de la transformación en nuestra calidad de vida en general, habilitada por nuestra práctica del hábito del agradecimiento.

¿Se ha modificado su claridad mental, creatividad y / o productividad, como consecuencia de su práctica de gratitud? ¿En qué manera?

Para contestar esta pregunta, recomiendo repasar mentalmente las actividades de varios días o semanas, y observar las expresiones de creatividad, los cambios en productividad, así como los momentos de claridad mental que se hayan experimentado.

De ser posible, compare estas observaciones con observaciones similares de periodos previos al inicio o anteriores a su práctica de gratitud.

Estas variaciones constituyen nuevos aspectos por los cuales agradecer, y que recomiendo anotar en su entrada del diario. Esto le permitirá documentar los avances en creatividad, productividad y claridad, que le servirán de base para futuros análisis y profundizaciones.

¿ En qué manera la gratitud ha impactado sus relaciones?

Cuando el aspecto que agradecemos es precisamente la relación personal o profesional con otra persona, esta pregunta puede parecer innecesaria por su obvia respuesta.

Pero lo interesante es que la gratitud por un aspecto puede repercutir indirectamente en una mejor relación con los demás.

Por ejemplo:

- Agradecer por haber obtenido un proyecto, puede significar la oportunidad de una vacación familiar al final del año, que refuerce nuestros vínculos con nuestra pareja, hijos y/o padres.
- La gratitud hacia un diagnóstico saludable de un familiar cercano de un colaborador en la empresa puede significar mayor armonía y alegría en el equipo de trabajo, o la reducción del tiempo para completar un proyecto importante por parte de este colaborador.

La intención por tanto de esta pregunta, es hacernos recorrer las ramificaciones de nuestra gratitud en nuestra red de relaciones, tanto personales como profesionales, e incluso comunitarias y ciudadanas.

¿Acaso la gratitud ha tenido un efecto de onda expansiva en su entorno?

Esta pregunta lo invita a indagar más allá de su mente y su cuerpo, sobre el impacto de su gratitud.

En primer lugar, observe su entorno, sus amigos, familiares y colegas. Y pregúnteles, sutilmente, si es que ellos han notado un cambio en usted. O si se ha producido en ellos mismos un cambio hacia usted.

A veces basta con nuestra propia percepción e intuición para identificar el impacto de nuestra práctica de gratitud en el entorno.

La validación con otras personas de esas percepciones, nos puede acercar al impacto real, y demuestra nuestro interés por los demás.

¿Cómo la gratitud ha cambiado su percepción de su rol en el mundo?

Ahora que usted ha iniciado la práctica de la gratitud, su nivel de consciencia se ha incrementado.

Me refiero, en principio, a que la observación de los eventos y personas en su vida, para seleccionar aquellos por los cuales agradecer, obligan a su mente a repasar todos y cada uno de sus pensamientos, y le permite reconocer las emociones y sensaciones que el cuerpo físico experimenta, producto de la gratitud.

Por contraste, también reconocerá más fácilmente aquello que lo perturba, aquello que lo apasiona o lo que, simplemente, lo deja indiferente.

Esta concientización no solo le permite reforzar su actividad o rol actual, sino también le podría facilitar la identificación de nuevas actividades y roles, que le den mayor satisfacción y sentido a su vida.

¿Ha fortalecido la gratitud su conexión espiritual?

Esta es quizás, la pregunta que encierra la mayor profundidad de análisis y reflexión. Para facilitar esa profundización, le invito a tomarse una pausa en esta lectura, para cerrar los ojos, y hacer tres respiraciones profundas por la nariz.

La espiritualidad toma expresiones diferentes para cada persona. Tan individual como la propia expresión del ser que somos, la espiritualidad para mí puede ser diferente a la definición que usted u otra persona puede tener.

Ser consciente de que somos más que cuerpo y mente, vivir una vida de relaciones con otros, trabajar en lo que nos apasiona y que sirve tanto a nosotros como a los demás, son algunos ejemplos de prácticas espirituales que quizás no lo parezcan.

Tómese un momento para reflexionar sobre estos aspectos, y trate de determinar, qué expresiones particulares toman en su vida:

- Su consciencia de la trilogía mente, cuerpo y espíritu.
- Su pasión por una actividad remunerada o no.
- Cómo dicha actividad le permite expresarse y relacionarse con otras personas, o con la naturaleza.
- Cómo su actividad impacta la vida de otros, ayudándolos a ser mejores, más felices o cambiándolos para mejor.

Existen otras expresiones de la espiritualidad que suelen ser las clásicas. Aquellas que la mayoría de nosotros percibe como espirituales. Estas prácticas también merecen revisión y reflexión, y en este caso, analizar si es que a través de la práctica de la gratitud, estas otras prácticas espirituales han aparecido o se han profundizado en su vida.

- **La oración:** puede ser en forma de recitación de oraciones tradicionales, o mejor aún, la conversación espontánea y con sus propias palabras con su ser superior, o Dios.
- **La meditación,** la contemplación u otra práctica de quietud y escucha.
- **La caridad, solidaridad** con personas necesitadas, participando en esfuerzos colectivos o individuales para aliviar las necesidades de personas menos favorecidas.
- **La fe,** la confianza en Dios, sin necesidad de pruebas o demostraciones físicas.

- **Expresiones de otras virtudes** como la paciencia, la compasión, la transparencia, el coraje, la hospitalidad, el respeto, la confianza en sí mismo, la laboriosidad, la tolerancia, la lealtad y la perseverancia.

Al poner atención a nosotros mismos y en nuestro entorno para agradecer, también vamos a identificar actitudes y posturas "poco o nada" espirituales. Identificarlas es el primer paso para erradicarlas de nosotros mismos, o evitar su influencia negativa:

- El materialismo.
- La envidia.
- La deshonestidad o deseo de aprovecharse injustamente de personas o situaciones.

No voy a extenderme en esta lista, pues su energía es baja en frecuencia y no nos trae bienestar. Pero me imagino que ya con estos pocos ejemplos, sabe a qué me refiero.

Es muy común que las personas que practican la gratitud reconozcan muy fácilmente a quienes no la practican. Por experiencia propia puedo decirle, que hasta se siente un tanto incomodo el que una persona tenga que agradecer por algo y no lo haga. Le sugiero que, silenciosamente, agradezca por ella. Y si su nivel de confianza con la otra persona, y su propio nivel de autoconfianza se lo permitan, invítelo a ser agradecido.

Seguramente usted se convertirá en testimonio viviente de los beneficios de la práctica de la gratitud. No tema a llamar la atención, o a que las demás personas le pregunten cómo se hace para ser agradecido. Compartir su práctica espiritual es parte de la hermosa responsabilidad de estar vivos y conectarnos con otros seres vivos.

La luz y los beneficios de la gratitud están a la disposición de todos. Un poder que no se acaba y que se multiplica con el uso y compartiéndola.

Una última cosita...

Gracias una vez más por permitirme acompañarlo a través de estas páginas, en su travesía personal hacia el bienestar y la abundancia. Que las bendiciones de vivir *En Modo Agradecido* se multipliquen en usted, sus seres queridos y, a través de usted, al resto del mundo.

Jeanette Salvatierra-Barrios.

BIBLIOGRAFÍA.

Emmons, Robert A.; McCullough, Michael E. "Counting blessings versus burdens: An experimental investigation of gratitude and subjective well-being in daily life." Journal of Personality and Social Psychology, Vol 84(2), Feb 2003, 377-389.

DeAngelis, Tori. "Consumerism and its discontents." June 2004, Vol 35, No. 6.

DOI Kennon M., Sheldon; Lyubomirsky b., Sonja. "How to increase and sustain positive emotion: The effects of expressing gratitude and visualizing best possible selves." The Journal of Positive Psychology: Dedicated to furthering research and promoting good practice. Volume 1, Issue 2, 2006. Special Issue: Positive Emotions, pages 73-82.

Gottman, John; Schwartz-Gottman, Julie, "7 Principles to Make Marriage Work". The Gottman Institute, several seminars, books and videos. 2015.

Gottman, J.M. and Gottman, J.S.,. Gottman method couple therapy. In Gurmna, A.S., Clinical Handbook of Couple Therapy, Chapter 5, 138-166. (2008).

Grant AM, et al. "A Little Thanks Goes a Long Way: Explaining Why Gratitude Expressions Motivate Prosocial Behavior". Journal of Personality and Social Psychology (June 2010): Vol. 98, No. 6, pp. 946–55.

Lambert NM, et al. "Expressing Gratitude to a Partner Leads to More Relationship Maintenance Behavior," Emotion" (Feb. 2011): Vol. 11, No. 1, pp. 52–60.

Sansone RA, et al. "Gratitude and Well Being: The Benefits of Appreciation." Psychiatry (Nov. 2010): Vol. 7, No. 11, pp. 18–22.

Seligman MEP, et al. "Empirical Validation of Interventions," American Psychologist (July–Aug. 2005): Vol. 60, No. 1, pp. 410–21.

Watkins, Philip C.; Woodward, Kathrane; Stone, Tamara; Kolts, Russell L. "GRATITUDE AND HAPPINESS: DEVELOPMENT OF A MEASURE OF GRATITUDE, AND RELATIONSHIPS WITH SUBJECTIVE WELL-BEING." Social Behavior and Personality: an international journal, Volume 31, Number 5, 2003, pp. 431-451(21)

Wood, Alex M.; Maltby, John; Gillett, Raphael; Linley, Alex; Joseph, Stephen. "The role of gratitude in the development of social support, stress, and depression: Two longitudinal studies." Journal of Research in Personality, Volume 42, Issue 4, August 2008, Pages 854–871.

36058714R00135

Made in the USA
Middletown, DE
23 October 2016